D0708356

RD
ACC. No: 02718044

gŵyl fawr y Cymry
EISTEDDFOD
the great festival of Wales

gŵyl fawr y Cymry

Eisteddfod

the great festival of Wales

ffotograffiaeth gan photography by

DAVID WILLIAMS

testun gan text by

LYN EBENEZER

Maes gŵyl

Maes siom rhy drom i'w symud; – maes hiraeth
A maes awr dy wynfyd;
Maes hanes a maes ennyd:
Maes dy awch am Awst o hyd.

Myrddin ap Dafydd

Festival Field

Field of loss too great to lift; - field of longing
And field of your blissful moment;
Field of history and field of fleeting instant:
Field of your yearning for August constant.

Translation – Cyfieithiad: David Williams

Cyflwynedig er cof am ddau o fawrion Prifwyl y Cymry
Dedicated to the memory of two great Eisteddfod characters

YR ARCHDDERWYDD / ARCHDRUID
DIC JONES
(1934 – 2009)

YR ATHRO / PROFESSOR
HYWEL TEIFI EDWARDS
(1934 – 2010)

Argraffiad cyntaf: 2010

Rhif Llyfr Safonol Rhyngwladol:
978-1-84527-290-6

Cynllun clawr: Sion Ilar

Mae'r cyhoeddwyr yn cydnabod cefnogaeth ariannol
Cyngor Llyfrau Cymru

Argraffwyd a rhwymwyd gan Wasg Gomer, Llandysul.
Cyhoeddwyd gan Wasg Carreg Gwalch,
12 Iard yr Orsaf, Llanrwst, Dyffryn Conwy LL26 0EH.
Ffôn: 01492 642031
Ffacs: 01492 641502
e-bost: llyfrau@carreg-gwalch.com
lle ar y we: www.carreg-gwalch.com

DIOLCH O GALON I:

Dymuna'r awdur a'r cyhoeddwyr ddiolch
am bob cydweithrediad gan
- Staff Swyddfa'r Eisteddfod
- Yr Archdderwydd T. James Jones

ACKNOWLEDGEMENTS:

The author and publishers wish
to acknowledge the co-operation of
- Eisteddfod Office Staff
- The Archdruid T. James Jones

Cynnwys / Contents

Cyflwyniad

Llun Cambridge Jones

DYMA GYFLE i ddathlu rhyfeddod un o brif wyliau diwylliannol y byd. Ein gŵyl ni yw hi. Ein Heisteddfod Genedlaethol ni'r Cymry.

Bwriad Dad bob amser oedd annog ei gydwladwyr i werthfawrogi cyfoeth eu hetifeddiaeth. Yn ei olwg ef, yr oedd yr Eisteddfod Genedlaethol yn sefydliad i'w warchod a'i drysori. Do, cododd ei lais mewn sawl trafodaeth boeth ynglŷn â hi, ond ni wanychodd ei barch a'i gariad mawr tuag ati.

Yr oedd Dad a Dic ill dau, fel miloedd o Gymry eraill, yn croesawu dyfodiad Awst o flwyddyn i flwyddyn. Yr oeddent yn dathlu'r wyrth o weld symbol mwyaf pwerus ein diwylliant yn ymweld â dinasoedd, trefi a broydd ein gwlad gan atgyfnerthu Cymreictod ym mhob cwr.

Yn sicr, bûm innau hefyd yn dathlu yn gyson er 1974, sef blwyddyn fy ymweliad cyntaf â maes y Brifwyl. Y mae gennyf ryw frith gof am gymanfa ganu yn Eisteddfod Rhydaman ym 1970, ond un ymweliad gyda'r nos oedd hwnnw. Ac fe gofiaf yn glir fuddugoliaeth ysgubol Dafydd Rowlands yn Hwlffordd ym 1972, ond gwylio hwnnw ar y teledu du-a-gwyn a wnaethom fel teulu. Na, Caerfyrddin oedd fy Eisteddfod Genedlaethol 'gyntaf', heb os. Treuliais wythnos gyfan yno, diolch i garedigrwydd Siân a Cynlais Evans. Cefais lety hael ganddynt yn eu cartref yng Nghydweli.

Beth yw'r atgofion mwyaf clir am yr wythnos fywiog honno? Llond cae o stondinau lliwgar yn agos i Ysbyty Glangwili, hen bafiliwn enfawr, Brinli yn Archdderwydd, maes gwlyb, cyngherddau roc 'Edward H' yn neuadd y farchnad, diffyg cwsg, a phrofiad gwaith i mi gyda Dyfrig Thomas ar stondin Siop y Werin. Yr oedd Dyfrig wedi sicrhau monopoli ar record newydd Max Boyce, a bu'r gwerthiant yn gwbl ysgubol.

Bu cystadlu hefyd o dro i dro: Meinir, fy chwaer, yn aelod o sawl parti cyd-adrodd a chôr cerdd dant, a finne'n rhoi cynnig ar yr unawd piano. Byddem yn cael cyfle i fynd i glywed darlith gan Dad yn y Babell Lên; cofiaf un o'i lwyddiannau mawr yn Eisteddfod Caerdydd ym 1978. Datblygodd y Babell Lên i fod yn ail gartref iddo.

Nid oeddwn wedi dechrau gwerthfawrogi cyfraniad yr Eisteddfod Genedlaethol cyn i Dad lunio'i gyfrol gyntaf arni ym 1976. Buom ar sawl taith yn y car i Wasg Gomer yn Llandysul er mwyn cywiro'r testun a chynnwys ffotograffau newydd. Cyfrol ddathlu wythgan-mlwyddiant yr Eisteddfod oedd honno.

Yn ei sylwadau agoriadol, haerodd mai'r Eisteddfod yw'r 'arbenicaf o'n sefydliadau cenedlaethol', ac y dylai'r Cymry 'wneud cyfiawnder â hi'. Y mae'r gyfrol hon yn gwneud pob cyfiawnder â lliw a chymeriad unigryw ein Prifwyl. Porwch ynddi a mwynhewch.

Huw Edwards

Introduction

THERE IS NOTHING quite like the National Eisteddfod of Wales. This book celebrates the exuberance, colour and magic of our principal festival. We are proud of its long history and we value its unifying power.

My late father, Hywel Teifi Edwards, was the leading authority on the history of the National Eisteddfod. His first book was published in 1976 to mark eight centuries of Eisteddfod tradition. He urged his fellow Welshmen and women to treasure the Eisteddfod and to respect its place in our nation's story. He would sometimes engage vigorously in discussions over its future, but his love for the institution never dimmed.

Dad would always look forward with undisguised delight to the first week of August. He loved the peripatetic nature of the Eisteddfod and believed firmly in its power to revive Welshness in the regions it visits. For him, the National Eisteddfod was, above all, a celebration of Welshness at its very best.

Many of us have our own memories of the first, or the best, or even the worst Eisteddfod we have attended. I recall attending the hymn-singing festival at Ammanford in 1970 and watching the 1972 Eisteddfod, held at Haverfordwest, on our black-and-white television at home. But Carmarthen, in 1974, was undoubtedly my 'first' Eisteddfod. I spent a week at the 'National' with some school friends and enjoyed the generous hospitality of a local couple, Siân and Cynlais Evans, at their home in Kidwelly.

The field was muddy, the great pavilion seemed to be a rusty hulk, and the late-night rock concerts transformed me into a sleep-deprived monster. I even found work in a bookshop on the 'Maes' – the owner had secured a monopoly on Max Boyce's new record and sales were spectacular. I always relive the memories when I drive past the fields near Glangwili; they were very happy days.

The main business of the Eisteddfod is competition. My sister was a keen competitor, unlike her brother – though I did attempt the piano solo. I tend to regard the Eisteddfod as an opportunity to socialise and catch up with old friends. And what's wrong with that? This book conveys some of the joy of mixing with fellow Welshmen and women, and being unapologetic about our love of the Welsh language and culture.

Over the years, I have brought many friends from other nations to visit the National

Photograph Cambridge Jones

Eisteddfod. They are always overwhelmed by its range and ambition, the very qualities that leap from every page in this book. Be sure to take your time and enjoy the riches within.

Huw Edwards

Wyth Gan Mlynedd o Eisteddfota

GELLIR OLRHAIN yr Eisteddfod Genedlaethol yn ôl at Nadolig 1176 pan gynhaliwyd cyfarfod o dan nawdd yr Arglwydd Rhys yn ei gastell yn Aberteifi. Yno y galwodd gynulliad mawr yn cynnwys beirdd a cherddorion ledled y wlad. Enillwyd y Gadair Farddol gan brydydd o ogledd Cymru a'r Gadair Gerddorol gan gerddor o'r Deheubarth. Bryd hynny, mae'n debyg y golygai Cadair eisteddle anrhydeddus wrth fwrdd yr Arglwydd.

Hyd yn oed yn gynharach, fe wnaeth Hywel Dda, a reolai dros Gymru gyfan ac a fu farw yn 950, ethol ei Fardd personol yn y Llys. Byddai'r Pencerdd yn ennill ei anrhydedd drwy ymrysonfa farddol.

Wedi 1176, cynhaliwyd nifer o ymrysonfeydd tebyg ledled Cymru dan nawdd y bonedd a'r pendefigion Cymreig. Tua 1450 cynhaliwyd eisteddfod yng Nghastell Caerfyrddin o dan nawdd Gruffudd ap Nicolas. Dywedir iddi bara am dri mis.

Cynhaliwyd dwy eisteddfod bwysig yng Nghaerwys yn 1523 a 1567. Mae'n bosibl i'r rhain gael eu noddi gan Stâd Mostyn. Dyfarnwyd Cadair Arian i Dudur Aled a Thelyn Arian i Ddafydd Nantglyn.

Cyfnod hesb fu'r ail ganrif ar bymtheg o ran eisteddfota. Ond yn ystod y ganrif ganlynol cychwynnwyd cynnal Eisteddfodau'r Almanaciau mewn tafarndai. Fe'u henwyd felly am y caent eu hysbysu mewn cyhoeddiadau o'r fath. Ond siomedig, mae'n debyg, fu'r gefnogaeth ymhlith cystadleuwyr.

Bu 1789 yn flwyddyn o bwys pan gynhaliwyd eisteddfodau yng nghanol cryn gweryla rhwng y traddodiadol a'r rheiny a fynnent weld newid. Bu Eisteddfod Corwen yn un arwyddocaol gyda chyfraniad un o'r enw Thomas Jones. Sylweddolodd hwn faint o ddaioni y gallai eisteddfod ei wneud i Gymru ac aethpwyd ati i ddenu cystadleuwyr drwy'r wlad benbaladr gyda'r testunau'n cael eu cyhoeddi rhag blaen. Cynhaliwyd hon yng Ngwesty Owain Glyndŵr, yr eisteddfod gyntaf oll pan gafodd y cyhoedd fynediad.

Yn 1819, cynhaliwyd eisteddfod arwyddocaol arall yn y Llwyn Iorwg, Caerfyrddin pan ddaeth Gorsedd y Beirdd yn gysylltiedig â'r ŵyl am y tro cyntaf. Erbyn hyn roedd yr eisteddfod wedi datblygu i fod yn ŵyl werin go iawn ar raddfa fawr.

Ond doedd eisteddfod wir genedlaethol heb gael ei sefydlu o hyd. Byddai Eisteddfod Fawr Llangollen yn 1858 yn paratoi'r ffordd. Ar y llwyfan cafwyd, yn ôl y Dr Thomas Parry, 'y cranciaid rhyfeddaf yng Nghymru', yn cynnwys y Dr William Price, Llantrisant yn gwisgo croen llwynog ar ei ben, cledd ar ei lin ac wy yn hongian ar gortyn o'i wddf. Ond er gwaetha'r holl bantomeim, arweiniodd at benodi pwyllgor a fyddai yn ei dro yn sefydlu pwyllgor a fyddai'n trefnu digwyddiad cenedlaethol. Ac yn Eisteddfod Dinbych 1860 penderfynwyd sefydlu un ŵyl fawr i Gymru gyfan.

Yn 1880, sefydlwyd Cymdeithas yr Eisteddfod Genedlaethol a fyddai'n cynnal gŵyl yng ngogledd a de'r wlad am yn ail. Ag eithrio 1914 a 1940, llwyddwyd i lynu at hynny. Yn 1940, er na lwyddwyd i gynnal y Brifwyl yn ei ffurf arferol, cynhaliwyd rhai cystadlaethau eisteddfodol ar y radio.

Eight Hundred Years of Eisteddfod

THE NATIONAL EISTEDDFOD of Wales can be traced back to Christmas 1176 when it was held under the auspices of Lord Rhys at his castle in Cardigan. He called a grand gathering to which were invited poets and musicians from all over the country. The Chair for poetry went to a northern poet, while the Chair for music went to a southern harpist. A Chair in those days probably meant a seat at the Lord's table.

Even earlier than this, Hywel Dda (Hywel the Good), who ruled over the whole of Wales and who died in 950, is known to have had his own Chief Bard, the Pencerdd, who had his personal Chair in the king's court. The Pencerdd would have to win his Chair in a bardic contest.

Following 1176, many eisteddfodau were held throughout Wales, under the patronage of Welsh gentry and noblemen. Around 1450 an eisteddfod was held at Carmarthen Castle under the patronage of Gruffudd ap Nicolas. It is reputed to have lasted for three months.

Two important eisteddfodau were held at Caerwys in 1523 and 1567. These may have been under the patronage of the Mostyn estate. A Silver Chair was awarded to Tudur Aled and a Silver Harp to Dafydd Nantglyn.

The seventeenth century seems to have been devoid of any festivals of note. But during the eighteenth century, the Almanack Eisteddfodau were held in various inns. They were named thus because they were advertised in such publications. But these seem to have been poorly supported by the poets and musicians.

Then came 1789, a significant year during which various eisteddfodau were held amongst much bickering between the traditionalists and those wishing to see changes. The Corwen Eisteddfod was a watershed in that Thomas Jones, realising how much good the eisteddfod could do for Wales, attracted competitors from throughout the land, with subjects set in advance. That eisteddfod held at the Owain Glyndŵr Hotel was the first to which the general public was allowed entry.

In 1819, an Eisteddfod of historical significance was held at the Ivy Bush Inn in Carmarthen, when the Gorsedd of Bards first became officially associated with this national event. By this time, the Eisteddfod had developed into a fully-fledged folk festival on a large scale.

There still had not been a genuine Eisteddfod. But the Great Eisteddfod of Llangollen held in 1858 would prepare the way. On the platform there gathered, according to Dr Thomas Parry, 'the queerest cranks in Wales', including Dr William Price of Llantrisant wearing a fox fur on his head, a sword on his thigh and an egg on a string round his neck. But despite the pantomime atmosphere, it led to the setting up of a committee charged with organising a genuinely national event. And at the Denbigh Eisteddfod of 1860 it was decided to organise a single great festival for the whole of Wales.

In 1880, the National Eisteddfod Association was formed and charged with the responsibility of staging an annual festival to be held in northern and southern Wales alternately. With the exception of 1914 and 1940, this aim has been successfully achieved. Even though the Eisteddfod of 1940 was not held in its usual form, some of the competitions were held on the radio.

Seremoni gyhoeddi Eisteddfod Blaenau Gwent a Blaenau'r Cymoedd 2010 yng Nglyn Ebwy.
The Proclamation Ceremony for the Blaenau Gwent and the Heads of the Valleys Eisteddfod 2010 in Ebbw Vale.

Bob blwyddyn, yn y Seremoni Gyhoeddi bydd Gorsedd y Beirdd – ynghyd â bandiau lleol, grwpiau a chymdeithasau – yn ffurfio gorymdaith drwy'r dref neu'r ddinas lle cynhelir yr Eisteddfod y flwyddyn ganlynol.
Each year, at the Proclamation Ceremony, the Gorsedd of Bards – along with local bands, groups and societies – forms a procession in the town or city that will host the Eisteddfod during the following year.

Gorsedd y Beirdd

SEFYDLWYD Gorsedd Beirdd Ynys Prydain yn 1792 gan Edward Williams, a adnabyddir yn well fel Iolo Morganwg. Ef wnaeth ddyfeisio defodau'r Orsedd gan eu seilio, meddai ef, ar y Derwyddon ond gyda dylanwad Cristnogol cryf. Fe'i cynhaliwyd gyntaf ar Fryn y Briallu yn Llundain ar hirddydd hwya'r haf, sef Alban Hefin.

Daeth yn rhan anhepgor o'r Eisteddfod yn 1860-61. Aeth Cynan, Cofiadur yr Orsedd ar y pryd, ati yn y tridegau i gymhwyso'r defodau a'r seremonïau gan eu gwneud yn fwy perthnasol a deniadol i'r gynulleidfa. Bodola heddiw fel cynghrair o feirdd, awduron, cerddorion, artistiaid ac unigolion sydd wedi gwneud cyfraniad arwyddocaol i'r iaith, llenyddiaeth a'r diwylliant Cymraeg a Chymreig.

Pennaeth yr Orsedd yw'r Archdderwydd, sydd mewn gwisg o sidan, hufen ei lliw. Fe'i hetholir i'w swydd bob tair blynedd ac ef sy'n gyfrifol am lywio seremonïau'r Orsedd yn ystod wythnos yr Eisteddfod yn ogystal ag yn y seremonïau cyhoeddi, flwyddyn a mis ymlaen llaw.

Ceir tair Urdd o fewn yr Orsedd: yr Urdd Ofydd, sy'n gwisgo lifrai gwyrdd (sy'n cynrychioli'r celfyddydau); y Beirdd, llenorion neu gerddorion sy'n gwisgo glas, (sy'n cynrychioli'r gwirionedd); a'r Derwyddon, sy'n gwisgo mewn gwyn (sy'n cynrychioli diniweidrwydd).

Yn Eisteddfod Llangollen yn 1858 y gwelwyd pasiant yr Orsedd ar lwyfan am y tro cyntaf. Yn Eisteddfod Caernarfon 1894 y gwelwyd y Gorseddigion gyntaf yn eu gwisgoedd gwyrdd, glas a gwyn.

Gall rhywun ddod yn Ofydd neu'n Fardd drwy arholiad. Gellir enwebu Derwyddon gan dderwyddon eraill. Ond dyrchefir rhai i'r Urddau Ofydd neu Dderwyddol hefyd o ran anrhydedd fel cydnabyddiaeth o'u cyfraniad i ddiwylliant Cymru. Bydd un a dderbynnir yn aml yn dewis enw barddol.

Derbynnir aelodau newydd yr Orsedd gan y swyddogion a'r aelodau o fewn i gylch Meini'r Orsedd. Fe'u derbynnir gan yr Archdderwydd, wrth iddo sefyll ar y Maen Llog.

Cyn bod yn Archdderwydd, rhaid i'r person hwnnw fod wedi ennill un o dri phrif anrhydedd yr Eisteddfod, y Gadair, y Goron neu'r Fedal Ryddiaith. Yn 2002, Robyn Léwys (Robyn Llŷn) fu'r cyntaf o enillwyr y Fedal Ryddiaith i'w ddyrchafu'n Archdderwydd, a hynny drwy bleidlais y Gorsedd-igion. Cychwynnodd ar ei dymor yn 2003.

Yn ystod wythnos yr Eisteddfod cynhelir tair o ddefodau Gorseddol ar y llwyfan: y Coroni, pan anrhydeddir prif fardd y mesurau rhydd, cyflwyno'r Fedal Ryddiaith i'r prif enillydd llenyddol a Chadeirio prif fardd y mesurau caeth.

Ar gyfer y defodau hyn bydd yr Archdderwydd ac aelodau'r Orsedd yn ymgynnull ar y llwyfan yn eu gwisgoedd Gorseddol. Pan gyhoeddir enw'r enillydd gan yr Archdderwydd fe genir y Corn Gwlad er mwyn uno'r bobl. Offrymir Gweddi'r Orsedd. Wedi datgelu enw'r enillydd, dinoethir y cledd deirgwaith a geilw'r Archdderwydd, 'A oes heddwch?' Pan atebir 'Heddwch!', gweinir y cledd. Cyflwynir y Corn Hirlas i'r Archdderwydd gan fam ifanc o'r fro, sy'n ei gymell i yfed ohono win y croeso. Yna chyflwynir iddo aberthged o flodau o dir a phridd Cymru gan ferch ifanc a chynhelir y Ddawns Flodau, wedi'i seilio ar batrwm casglu blodau o'r meysydd.

Yr actor Mathew Rhys, ar ôl ei dderbyn i urdd wisg wen yr Orsedd yn Eisteddfod Caerdydd 2008.
Actor Matthew Rhys, following his acceptance into the white-robed order of the Gorsedd at the Cardiff Eisteddfod in 2008.

The Gorsedd of the Bards

GORSEDD BEIRDD Ynys Prydain (The Gorsedd of Bards of the Isle of Britain) was founded in 1792 by Edward Williams. Known as Iolo Morganwg, he also invented much of its ritual, supposedly based on the activities of the ancient Druids but with a strong Christian influence. It first met on Primrose Hill in London on the longest day, the Summer Solstice.

The rituals were given further embellishment in the 1930s by the Recorder of the Gorsedd, later Archdruid, Cynan. It is primarily an association of poets, writers, musicians, artists and individuals who have made a significant and distinguished contribution to Welsh language, literature and culture. The Gorsedd, Welsh for 'throne', organise the three main ceremonies of the Eisteddfod.

The head of the Gorsedd is known as the Archdruid, and wears a robe of cream-coloured silk. He is elected for a term of three years, and is responsible for conducting the Gorsedd ceremonies during Eisteddfod week, as well as the Proclamations that officially announce the Eisteddfod a year and a month in advance.

There are three ranks of membership in the Welsh Gorsedd. In ascending order of honour, they are the Ovates, who wear green robes (representing the arts); the Bards, who wear blue (representing truth); and the Druids, who wear white (representing innocence).

The Gorsedd pageant was first seen on stage at the Llangollen Eisteddfod of 1858. It was at the Caernarfon Eisteddfod of 1894 that the Gorsedd members first wore their robes of green, blue and white.

A person may become an Ovate or a Bard by passing an examination in the Welsh language. Druids may be nominated only by existing Druids. People are occasionally made Ovates or Druids as an honour to reward their contributions to Welsh culture. Often a new inductee will take a pseudonym, called a bardic name.

Inductees are welcomed by the Archdruid and members of the Gorsedd within the Gorsedd Circle, a circle of stones surrounding the Maen Llog (Logan Stone), on which the Archdruid stands.

To become an Archdruid, an individual must have won one of the Eisteddfod's three highest awards: the Crown, the Chair, or the Prose Medal. In 2002, Robyn Léwys (Robyn Llŷn) became the first winner of the Prose Medal to be elected Archdruid, and the first Archdruid to be elected by a vote of all Gorsedd members. His term began in 2003.

Three Gorsedd ceremonies are held on stage during the Eisteddfod week: the Crowning of the Bard, honouring the poet judged best in the competitions in free metre; the awarding of the Prose Medal, for the winner of the Prose competitions; and the Chairing of the Bard for the best long poem in strict metre.

Y Fonesig Tanni Grey-Thompson yn derbyn croeso i'r Orsedd gan yr Archdderwydd.
Dame Tanni Grey-Thompson being welcomed into the Gorsedd by the Archdruid.

During these ceremonies the Archdruid and the members of the Gorsedd gather on the Eisteddfod stage in their ceremonial robes. When the Archdruid reveals the identity of the winning poet, the 'Corn Gwlad' (a trumpet) calls the people together and the Gorsedd Prayer is chanted. The Archdruid withdraws a sword from its sheath three times. He cries 'Is there peace?', to which the assembly reply 'Peace'. Then the Horn of Plenty is presented to the Archdruid by a young mother of the district, who urges him to drink the 'wine of welcome'. A young girl presents him with a basket of 'flowers from the land and soil of Wales' and a floral dance is performed, based on a pattern of flower-gathering from the fields.

Mae cael bod yn aelod o'r ddawns flodau'n ddigwyddiad cofiadwy i blant ysgolion lleol pan ddaw'r Eisteddfod I'r fro.
Being selected as one of the flower dancers is a highlight for local schoolchildren when the Eisteddfod visits their area.

Bydd gan bob aelod o'r Orsedd ynghyd â'r llu swyddogion ran bwysig yn y gweithgareddau
Each member of the Gorsedd and its supporting cast has an important role to play.

Ni fydd pasiant ac urddas defodau'r Cadeirio, y Fedal Ryddiaith a'r Coroni fyth yn peidio â chyffroi'r gynulleidfa.
The spectacle and dignity of the Chairing, Prose Medal and Crowning ceremonies never fail to move the audience.

Y foment drydanol pan fo'r golau'n disgyn ar yr enillydd, ac ef neu hi'n cael ei arwisgo mewn porffor a'i arwain i'r llwyfan. Ar adegau prin pan nad oes neb yn deilwng, gosodir y Cledd Mawr ar draws breichiau'r Gadair fel symbol o bwysigrwydd diogelu safonau uchel y gystadleuaeth.
It's a thrilling moment when the spotlight falls on the winner and he or she is enrobed in purple and escorted to the stage. Very occasionally, the honour is witheld and the Great Sword is placed across the arms of the Chair, symbolising the importance of guarding the highest standards of competition.

Bydd y Cledd – ataliad symbolaidd – yn cael ei ddadweinio'n rhannol gyda'r Archdderwydd yn galw: "A oes Heddwch?" – a'r gynulleidfa'n rhuo'n ôl: "Heddwch!"
The sword – a symbolic deterrent – is partially unsheathed and the Archdruid calls out: "Is there Peace?" – and the audience roars back: "Peace!"

Cynllunir a gwneir Coron a Chadair newydd bob blwyddyn gan grefftwyr o fri o'r fro lle cynhelir yr Eisteddfod.
A new Crown and Chair are designed and made each year by suitably eminent craftsmen and women from the region in which the Eisteddfod is held.

Bydd defod y Fedal Ryddiaith yn cynnwys dawns o deyrnged gan blant lleol. Yr enillydd yn yr achos hwn yw Mererid Hopwood a enillodd yn ogystal y Gadair yn 2001 a'r Goron yn 2003.
The Prose Medal ceremony includes a dance of tribute by local children. The winner in this case is Mererid Hopwood, who also won the Chair in 2001 and the Crown in 2003

Bydd derbyn y copi cyntaf o'u nofel, wedi ei rwymo mewn lledr, yn foment gofiadwy i enillydd y Fedal Ryddiaith.
Receiving the first copy of their novel, bound in leather, is a special moment for the winners of the Prose Medal.

Cylch yr Orsedd

MAE PRESENOLDEB Meini'r Orsedd mewn pentref, tref neu ddinas yng Nghymru yn arwydd fod yr Eisteddfod Genedlaethol wedi ymweld â'r fro yn y gorffennol. Mae'r clystyrau hyn o feini hir yn rhan annatod o ddefodau'r Orsedd, ac fe ddefnyddir y Cylch ddwywaith yn ystod wythnos y Brifwyl yn ogystal ag yn ystod defod y Cyhoeddi, a gynhelir o leiaf flwyddyn a diwrnod cyn yr ŵyl.

Gosodir y meini'n gylch o ddeuddeg o feini hir, wedi'u cloddio o chwareli lleol, o gwmpas maen gwastad, sef y Maen Llog sy'n gweithredu fel llwyfan. Yn ystod y defodau, saif yr Archdderwydd ar y Maen Llog. Yn ei wynebu o'r dwyrain ceir Maen y Cyfamod, lle saif yr Arwyddfardd. O'i ôl saif y Meini Porth, a amddiffynnir gan swyddogion yr Orsedd.

Seiliodd Iolo Morganwg y drefn hon ar Feini Avebury yn Wiltshire a'r meini a geir yn ei sir enedigol, sef Dyffryn Golych. Cynhaliwyd ei Orsedd gyntaf ar Fryn y Briallu, Llundain ar 21 Mehefin, 1792 o fewn cylch gyda Maen yr Orsedd yn ei ganol. Ond pan gyfunodd yr Orsedd a'r Eisteddfod yn Nghaerfyrddin yn 1819, bu'n rhaid i Iolo fodloni ar gylch wedi'i lunio o lond dwrn o gerrig mân. Dim ond y Beirdd a gâi fynediad i'r cylch.

Tuag at ddiwedd y ganrif gofynnwyd i'r Arwyddfardd, Arlunydd Pen-y-garn gynllunio patrwm sefydlog ar gyfer Cylch yr Orsedd. Fe'i defnyddiwyd am y tro cyntaf yn Eisteddfod Caerdydd yn 1899.

Golygai'r cynllun newydd lunio gosodiad trionglog y Tri Maen Porth i gyfateb â ffurf y Nod Cyfrin. Gosodir y maen canol o'r tri ychydig i mewn o'r Porth i ddangos cyfeiriad y dwyrain. Mae'r Maen Porth sydd i'r gogledd i hwnnw'n wynebu llygad yr haul yn codi ar ddydd hwyaf yr haf, a'r Maen Porth i'r de oddi wrtho'n wynebu llygad yr haul yn codi ar ddydd byrraf y gaeaf. Am gyfnod câi'r meini eu haddurno â dail derw ac uchelwydd.

Arhosodd ffurf Cylch yr Orsedd bron iawn yn ddigyfnewid hyd heddiw. Ond derbyniwyd un newid chwyldroadol yn 2004. Lle'r oedd angen gosod cylch o'r newydd yng nghyffiniau Maes yr Eisteddfod, caniatawyd defnyddio meini symudol o wydr ffeibr. Codwyd meini symudol y flwyddyn ganlynol yn Y Faenol. Mantais fawr y datblygiad hwn yw bod holl seremonïau'r Orsedd yn cael eu cynnal ar Faes yr Eisteddfod ei hun.

Yn Nefodau'r Cyhoeddi, bydd y Cofiadur yn darllen y Cyhoeddiad ac yn cyflwyno'r copi cyntaf o'r rhestr testunau i'r Archdderwydd. Mae'r Cyhoeddi'n adleisio Cyhoeddiad yr Arglwydd Rhys yn 1176 a Chyhoeddiad tebyg Iolo yn 1792.

Ar fore dydd Llun yr Eisteddfod cyflwynir y Corn Hirlas i'r Archdderwydd a chroesewir cynrychiolwyr y Gwledydd Celtaidd. Bydd y Cofiadur yn coffáu'r aelodau hynny a fu farw yn ystod y flwyddyn a chenir emyn er coffa amdanynt. Yna daw defod croesawu aelodau newydd drwy arholiad neu radd i'r Urdd Ofydd.

Y gantores Connie Fisher yn cael ei derbyn i Urdd Gwisg Werdd yr Orsedd.
Singer Connie Fisher is received into the green-robed order of the Gorsedd.

Ar y bore dydd Gwener, cyflwynir yr Aberthged i'r Archdderwydd a derbynnir aelodau newydd drwy Anrhydedd i Urdd y Derwyddon. Bydd yr Arwyddfardd a Cheidwad y Cledd yn closio at y fynedfa ac yn atal y ffordd â'r cledd. Bydd aelodau newydd yn gosod llaw ar y llafn ac, o gael derbyniad, yn cael mynd gyda'r Disteiniaid at Feistres y Gwisgoedd i'w harwisgo â phenwisg Urdd y Derwyddon.

The Gorsedd Circle

Cylch meini hynafol Avebury, a ysbrydolodd Iolo Morganwg i ddyfeisio Cylch yr Orsedd fel lleoliad i'r defodau.
The prehistoric stone circle at Avebury inspired Iolo Morganwg to devise the Gorsedd circle as a setting for the ceremonies.

THE PRESENCE of a Gorsedd Circle in villages, towns or cities of Wales indicates that the National Eisteddfod has visited the area in the past. These groups of standing stones are an integral part of Gorsedd ceremonies and are used twice during the Eisteddfod week as well as at the Proclamation ceremony held at least a year and a day in advance of the Eisteddfod.

The stones are arranged in a circle of twelve pillars, usually quarried locally, around a flat-topped Logan or Altar Stone that serves as a platform. During the ceremonies, the Archdruid stands on the central stone. Facing him from the east is the Stone of the Covenant, where the Herald Bard stands. Behind him are the Portal Stones, guarded by Gorsedd officials.

Iolo Morganwg based the appearance of the circle on the ancient Avebury Circle in Wiltshire and the Dyffryn Golych Stones in his native county. His first Gorsedd at Primrose Hill, London, on 21 June 1792 was held within a circle with the Gorsedd Stone at its centre. However, when the Eisteddfod and the Gorsedd combined at Carmarthen in 1819, Iolo had to make do with a handful of pebbles. Only Bards were allowed within that circle.

Towards the end of the century the Herald Bard, Arlunydd Pen-y-garn was charged with designing a set plan for the Bardic Circle and this was utilised at the 1899 Cardiff Eisteddfod. As a result, the middle Portal Stone is placed so as to indicate the eastern cardinal point. The stone to the north faces the eye of the rising sun on the summer's longest day with the stone to the north facing the eye of the rising sun on the winter's shortest day. For a time the stones were festooned with oak and mistletoe leaves.

The form of the Gorsedd Circle has remained virtually unchanged to this day. But one revolutionary change was accepted in 2004. Where a circle previously had to be erected anew on or adjacent to the Maes (the Eisteddfod field), moveable stones made of fibreglass were introduced. Such a circle was first erected at Y Faenol in 2005 – the great advantage of this development being that all Gorsedd ceremonies can now be held on the Eisteddfod Maes itself.

At the Proclamation Ceremonies, the Recorder reads the Proclamation and the first copy of the list of competitions is presented to the Archdruid. The Proclamation echoes Lord Rhys' Proclamation in 1176 and Iolo Morganwg's similar Proclamation in 1792.

On the Monday morning of the Eisteddfod, the Horn of Plenty is presented to the Archdruid and representatives from the other Celtic nations are welcomed. The Recorder commemorates those Gorsedd members who have died during the past year and a hymn of remembrance is sung. The ceremony of admitting new members through examinations or degrees to the Ovate Order follows.

On the Friday morning the Gift of Flowers is presented to the Archdruid and Honorary members are admitted to the Order of Druids. The Herald Bard and the Bearer of the Great Sword approach the entrance and hold the sword across it to bar the way. Every new member places one hand on the blade and, on being admitted, is led by the Marshalls to the Mistress of the Robes to be invested with the Order's head-dress.

Bydd meini Gorsedd ffibr gwydrog symudol yn galluogi cynnal y defodau o fewn Maes yr Eisteddfod, yng ngolwg y Pafiliwn.
The tranportable, fibreglass Gorsedd stones make it possible for the ceremonies to take place within the Eisteddfod field, in sight of the Pavilion.

Aelodau newydd – yn cynnwys y darlledwr Aled Jones, a welir yma – yn dod yn gyfarwydd â gwisgo'u lifrai a'r urddas a gynrychiolant.
New members – including broadcaster Aled Jones, seen here – get used to their robes and the honour they represent.

Regalia'r Orsedd

CAIFF Y NOD CYFRIN, neu Nod Pelydr Goleuni ei weld ar Faner yr Orsedd, ar Goron yr Archdderwydd, ar gynllun y Gadair, y Goron a'r Fedal a roddir i'r enillwyr ac ar holl gyhoeddiadau'r Orsedd. Cynrychiola'r tair llinell y Drindod. Dynoda'r tri phaladr Wirionedd, Cyfiawnder a Chariad.

Lluniwyd Baner yr Orsedd gan Lena Evans, neu Frodes Dâr, ar batrwm o ddail cennin a derw. Saif y Ddraig yng nghanol yr haul, a chynhwysir y geiriau 'yn wyneb haul a llygad goleuni' a 'Y Gwir yn erbyn y byd' uwchlaw Cylch yr Orsedd. Fe'i cynlluniwyd gan y cyn-Arwyddfardd T. H. Thomas (Arlunydd Pen-y-garn).

Arweinir yr Archdderwydd gan y Cleddyf Mawr, a ddefnyddir yn y seremonïau llwyfan ac o fewn Cylch yr Orsedd i ymbil am heddwch. Bydd yn agor ac yn cau defodau'r Orsedd. Y mae tua chwe throedfedd o hyd a'r garn yn dwyn patrymau basgedwaith ac wedi'i choroni â maen crisiant. Lledr yw'r wain, sy'n addurnedig a rhwymynnau copr ac arwyddeiriau'r Orsedd. Fe'i lluniwyd gan Syr Hubert Heskomer RA, mab i gerfiwr coed o Bafaria.

Coronbleth o ddail derw mewn efydd tywyll yw Coron yr Archdderwydd a gwnaed ei ddwyfronneg o arian gilt ar hen batrwm Celtaidd. Cludir y Deyrnwialen bob amser gan yr Archdderwydd. Yr unig swyddog arall fedr ei chyffwrdd, ar adegau pan fo'r Archdderwydd a'i ddwylo'n llawn, yw'r Arwyddfardd. Fe'i gwnaed hi o aur, gyda'i choron maen crisiant, yn dynodi awdurdod, ar lun mesen mewn cwpan o ddail derwen. Y cyntaf i'w defnyddio oedd yr Archdderwydd Dyfed, a wasanaethodd rhwng 1902 a 1922.

Hyd at Eisteddfodau cyfnod yr Ail Ryfel Byd câi'r Corn Hirlas, ynghyd â'r darn arian ar ffurf draig, sy'n i gynnal ei gludo ar ryw fath ar elor. Wedyn, y Corn yn unig a ddefnyddir mewn defodau. Fe'i cynlluniwyd gan Syr W. Goscombe John RA a'i gyflwyno i'r Orsedd gan Arglwydd Tredegar (Ifor Hael yr Ail). Cledd wedi ei hollti'n ddwy yn ei hyd yw'r Hanner Cledd; cedwir yr hanner arall gan Orsedd Llydaw. Pan fo'r ddwy Orsedd yn cyfarfod, ail-unir y ddau hanner.

Sgrôl o felwm ar ddwy rolbren yw Sgrôl y Cyhoeddi gyda geiriau traddodiadol Cyhoeddi'r Eisteddfod wedi eu hysgrifennu a'u harlliwio arni. Yn fframio'r neges ceir tair-tarian-ar-ddeg yn cynrychioli siroedd Cymru. Fe'i lluniwyd gan R. Meirion Roberts a'i chyflwyno gan Mrs Coombe-Tennant (Mam o Nedd), a dreuliodd flynyddoedd fel Meistres y Gwisgoedd.

Lluniwyd Gwialen Swydd yr Arwyddfardd gan Frank Roper o bren a gyflwynwyd gan y Star Shipbuilding Company, Caerdydd. Arni ceir addurnwaith arian a chopr gyda chap o ddail y derw a dail ac aeron yr uchelwydd. Fe'i cyflwynwyd gan y cyn-Arwyddfardd, Syr Geoffrey Crawshay (Sieffre o Fynwy).

Yr unig offerynnau cerdd a gedwir gan yr

Orsedd yw'r ddau Gorn Gwlad. Fe'u cyflwynwyd gan Mrs A. A. Meedham, a'r banerigau sydd ynghlwm wrthynt gan y chwiorydd Davies, Llandinam.

Bydd pob swyddog yn gwisgo tlws owmal yn dwyn arwydd y Nod Cyfrin a symbol ei swydd a bydd yr Archdderwydd yn gwisgo modrwy insel yr Orsedd.

Pan na fydd yr Orsedd yn cyfarfod caiff y Regalia ei gadw yn yr Amgueddfa Genedlaethol yng Nghaerdydd.

Cynlluniwyd gwisgoedd presennol yr Orsedd gan Syr Hubert Herkomer a Syr W. Goscombe John. Fe'u gwelwyd gyntaf yn Eisteddfod Caernarfon 1894.

The Gorsedd Regalia

THE MYSTIC MARK, or the Mark of the Shafts of Light, is seen on the Gorsedd Banner, the Archdruid's Crown, on the design of the Chair, the Crown and the Medal that are given to the winners and on all the Gorsedd's publications. The three-lined mark represents the Holy Trinity. The three beams represent truth, justice and love.

The Gorsedd Banner was embroidered by Lena Evans (Brodes Dâr) based on a pattern of oak and leek leaves. The Dragon stands in the middle of the sun with the words 'In the face of sun and in the eye of light' and 'The Truth against the world' above the Gorsedd Circle. It was designed by T. H. Thomas (Arlunydd Pen-y-garn).

The Archdruid is preceded by the Great Sword, which plays a central role in the stage ceremonies and within the Gorsedd Circle in the plea for peace. It always opens and closes Gorsedd ceremonies. It is around six feet long, its shaft adorned with basketwork patterns crowned with a gemstone. The leather sheath is adorned with copper bindings and the Gorsedd symbol. It was made by Sir Hubert Heskomer RA son of a Bavarian woodcarver.

The Archdruid's Crown is a circle of woven oak leaves, made of dark bronze. His breastplate is made of silver gilt based on an ancient Celtic design. The Sceptre, bearing the crystal of his authority, is carried at all times by the Archdruid, except when he has to attend to the Great Sword. The only other officer allowed to handle it is the Herald Bard. It is made of gold with its crystal crown in the form of an acorn resting in a cup of oak leaves. The first Archdruid to carry it was Dyfed, who officiated between 1902 and 1922.

Up until the Second World War Eisteddfodau the Horn of Plenty, together with its ornate dragon-design stand, would be carried on a bier-like contraption. Thereafter, the Horn itself was used during ceremonies. It was designed by Sir W. Goscombe John RA (Gwscwm) and presented to the Gorsedd by Lord Tredegar (Ifor Hael yr Ail). The Half Sword is split lengthwise; the other half is kept by the Breton Gorsedd and the two halves are reunited when both Gorsedds meet.

The Proclamation Scroll is made of vellum set on two wooden rollers. On it is written the traditional Proclamation in decorative and coloured script. Framing the Proclamation are the shields representing the thirteen old counties of Wales. It was made by R. Meirion Roberts and presented by Mrs Coombe-Tennant (Mam o Nedd), who officiated for years as the Mistress of the Robes.

The Wand of Office carried by the Herald Bard was made by Frank Roper from wood donated by the Star Shipbuilding Company, Cardiff. It is decorated with silver and copper and has a cap of oak leaves and mistletoe leaves and berries. It was presented by former Herald Bard Sir Geoffrey Crawshay (Sieffre o Fynwy).

The only musical instruments held by the Gorsedd are the two silver Gorsedd Trumpets. They were presented by Mrs A. A. Meedham, and the attached buntings were given by the Davies sisters, Llandinam.

Every official wears an enamel brooch bearing the Mystic Mark and the symbol of his office, while the Archdruid wears the Gorsedd signet ring.

When the Gorsedd is not in session the Regalia is kept at the National Museum in Cardiff.

The present robes were designed by Sir Hubert Herkomer and Sir W. Goscombe John. They were first seen at the 1894 Caernarfon Eisteddfod.

Y Deyrnwialen, symbol o awdurdod yr Archdderwydd, a gaiff ei thrin gyda pharch dyladwy.
The Sceptre is a symbol of the Archdruid's authority, and is treated with due respect.

Manylion addurnedig y Corn Hirlas a regalia'r Archdderwydd yn adlewyrchu traddodiadau Celtaidd Cymru.
The decorative details of the Horn of Plenty and the Archdruid's regalia echo the Celtic traditions of Wales.

Bydd yr Archdderwydd a'i osgordd yn mynd heibio'r gynulleidfa'n urddasol ar gychwyn ac ar ddiwedd pob defod. Bydd llawer o ymwelwyr yn gwneud defnydd o'r clustffonau sy'n darparu sylwebaeth Saesneg o'r digwyddiadau.
The Archdruid and his entourage pass in dignified fashion through the audience at the beginning and end of each ceremony. Many visitors make use of the headsets that carry an English-language commentary on the events.

Mae'r lliw a'r rhwysg yn gofiadwy. Y seren rygbi ryngwladol Ray Gravell fu Ceidwad y Cledd am flynyddoedd; fe'i holynwyd, yn briodol iawn, gan Robin McBryde, chwaraewr rygbi rhyngwladol arall sydd â'r cryfder angenrheidiol i godi'r Cledd yn uchel yn ystod y defodau.
The colour and pageantry is memorable. International rugby star Ray Gravell was the sword bearer for many years; he was succeeded, appropriately, by Robin McBryde – another rugby international with the strength to hold the sword aloft during the ceremonies.

Yr Allwedd i'r Gymraeg

YN GYMHAROL DDIWEDDAR y mynnwyd y byddai holl weithgareddau swyddogol y Brifwyl yn cael eu cynnal drwy'r iaith Gymraeg. Am ganrif a mwy bu awenau'r Eisteddfod yn nwylo criw elitaidd a oedd am weld y digwyddiad yn rhyw efelychiad o'r diwylliant Seisnig. Fe fu Syr Hugh Owen yn gyfrifol am sefydlu Cymdeithas yr Eisteddfod, ac yn Ninbych yn 1860 y gwelwyd y gymdeithas hon yn dwyn ffrwyth gyda'r gweithgareddau, gan fwyaf, yn Saesneg mewn awyrgylch Brydeinig.

'Mae'r Eisteddfod yn bodoli er mwyn hyrwyddo'r iaith Gymraeg a hyrwyddo'r diwylliant Cymraeg,' medd y Prif Weithredwr, Elfed Roberts. 'Ac mae codi proffil y Gymraeg mewn ambell i ardal yn dasg hanfodol. Cymerwch ardal Blaenau Gwent, lle nad oes ond ychydig o Gymry Cymraeg, ond lle mae llawer o'r boblogaeth yn cyfrif eu hunain yn Gymry, ac maen nhw'n bobl sy'n falch o'u Cymreictod. Felly mae hi'n holl bwysig ein bod ni'n mynd i ardaloedd fel hynny. Y gobaith yw y bydd dyfodiad yr Eisteddfod yno, ac mewn mannau Seisnigedig eraill, yn codi'r ymwybyddiaeth ac yn creu rhyw awydd ar y bobl i fynd yn ôl at eu gwreiddiau.'

Ar gyfer Eisteddfod Caerffili 1950 y daeth y newid mawr. Nid newidiadau ieithyddol yn unig a welwyd. Prif ysgogydd y newidiadau oedd Cynan, bardd a Phrifardd ac un a fu'n Archdderwydd ddwywaith. Bu Cynan yn gyfrifol hefyd am newidiadau seremonïol, yn cynnwys gweddnewid y Ddawns Flodau.

Roedd yr Orsedd a'r Eisteddfod eisoes wedi uno yn 1937 i greu Cyfansoddiad newydd a ffurfio'r Cyngor. Yn 1952 ffurfiwyd y Llys, sef y corf llywodraethol. Ond y rheol iaith oedd y symudiad mwyaf arwyddocaol. Cynhyrfwyd nifer o sefydliadau ac unigolion gan y penderfyniad. Ddechrau'r wythdegau disgrifiwyd y rheol gan Gyngor Morgannwg Ganol fel 'apartheid'. Cyn hynny, yn ôl ar ddechrau'r chwedegau cynigiodd y miliwnydd Syr David James gefnogaeth ariannol i'r Brifwyl ar yr amod y byddai un diwrnod yn cael ei neilltuo ar gyfer y Saesneg. Pan wrthodwyd ei gais aeth ati i sefydlu eisteddfodau mawr Pantyfedwen ym Mhontrhydfendigaid, Llanbedr Pont Steffan ac Aberteifi.

Glynwyd at ysbryd y rheol, er bod yna rai eithriadau. Hyd yn oed yng Nghaerffili mynnodd yr aelod seneddol lleol, Ness Edwards ac Arglwydd Faer Caerdydd annerch yn Saesneg. Ac yng Nglyn Ebwy yn 1958, anerchwyd yn Saesneg gan Aelod Seneddol yr ardal, y gwleidydd chwedlonol Aneurin Bevan. Ond pan ymwelodd y Frenhines a Dug Caeredin ag Eisteddfod Caerdydd yn 1960 ni thorrodd yr un ohonynt air yn gyhoeddus, yn Saesneg nac yn Gymraeg.

Heddiw ceir darpariaeth cyfieithu helaeth ar Faes yr Eisteddfod ynghyd â thywyswyr gwirfoddol sy'n cynnig cymorth i rai sydd ddim yn siarad Cymraeg.

Mae stondin Bwrdd yr Iaith Gymraeg yn le da i ddysgu mwy am yr iaith.
The Welsh Language Board's stand is a good place to learn more about the language.

Ers pymtheng mlynedd bellach bu cwmni Cymad yn darparu gwasanaeth cyfieithu ar y pryd. Caiff ymwelwyr di-Gymraeg wasanaeth cyflawn o'r holl gystadlaethau llwyfan ynghyd â gwybodaeth gyffredinol drwy glustffonau. Mae'r gwasanaeth am ddim a dosberthir i fyny at 500 o'r clustffonau hyn yn ddyddiol.

'Mae'r gwasanaeth yn un cyflawn, ac yn gweithio drwy gyfrwng bocs is-goch di-wifr sy'n gysylltiedig â chlustffon,' medd Aled Jones o Cymad. 'Gellir casglu'r offer o ddesg Cymad ar y Maes a'i ddychwelyd ar ddiwedd y dydd. Byddwn yn gofyn am ernes, ond does dim rhaid iddo fod yn swm ariannol. Bydd allwedd y car yn gwneud y tro.'

Your Key to a Welsh Eisteddfod

Mae'r gyflwynwraig Nia Parry wedi gwneud llawer i arwain dysgwyr at y Gymraeg.
Television presenter Nia Parry has done much to promote the learning of Welsh.

THE 'ALL-WELSH RULE' was applied to all official activities at the National Eisteddfod comparatively recently. For over a century the Eisteddfod reins had been held by an elite crew who wished to see the festival become a poor imitation of English culture. Sir Hugh Owen founded the Eisteddfod Society and it was at the Denbigh Eisteddfod of 1860 that his ideals came to fruition, with the events held almost completely in English in a very British atmosphere.

'The Eisteddfod exists in order to promote the Welsh language and Welsh culture,' says the Chief Executive, Elfed Roberts. 'And raising the profile of Welsh in certain areas is an essential task. Take Blaenau Gwent, where there are comparatively few Welsh speakers, though many people rightly regard themselves as Welsh and are proud of their Welsh identity. It is therefore essential that we visit such areas as Blaenau Gwent. The hope is that the Eisteddfod's visit to the area will raise the people's consciousness and create amongst them the urge to return to their Welsh roots.'

The change in attitude manifested itself at the 1950 Caerphilly Eisteddfod. And the changes were wider than those involving the language. The main instigator was Cynan – poet, National Crown and Chair Winner and twice Archdruid. Cynan was also instrumental in ceremonial reforms, including the choreographing of the Floral Dance.

The Gorsedd and the Eisteddfod had already merged in 1937 to create a new Constitution by forming the Council. In 1952 the Court, the festival's governing body, was formed. But the all-Welsh rule was the most significant move. It attracted criticism from institutions and individuals. In the early eighties, the rule was described by Mid-Glamorgan Council as a form of apartheid. Earlier, at the beginning of the sixties, philanthropist Sir David James offered financial inducements on condition that the Eisteddfod included one English day. When his offer was refused he financed his own Pantyfedwen Festivals at Pontrhydfendigaid, Lampeter and Cardigan.

The spirit of the rule has been honoured with a few exceptions. Even at Caerphilly, the local member of parliament, Ness Edwards, and the Lord Mayor of Cardiff both addressed the audience in English. And, notably, Aneurin Bevan addressed the 1958 Ebbw Vale Eisteddfod in English. The legendary politician was the local MP. But in Cardiff in 1960, when the Queen and the Duke of Edinburgh visited the festival they did not utter one word of English or Welsh in public.

Today there are substantial translating provisions on the Eisteddfod Maes with volunteer guides offering help to those not able to speak Welsh. For the past fifteen years the translation company Cymad has provided a service to non-Welsh speakers, covering all stage events, including background information, by using earphones. This free service can offer up to 500 earphones every day.

'This is a complete service, and works by means of an infra-red box linked to an earphone,' said Aled Jones from Cymad. 'The device can be collected from our desk on the Eisteddfod Maes and returned at the end of the day. We do ask for a returnable deposit, not necessarily money. A possession such as a car key will do the trick'!

Bydd y criw brwdfrydig yma yn barod i ateb eich cwestiynau am yr Eisteddfod – mae'r clustffonau sy'n darparu sylwebaeth Saesneg l'w cael o'r stondin sydd y tu ôl iddynt.
This eager bunch will answer all your questions about the Eisteddfod – the headsets carrying the English commentary are available from the booth behind them.

Nid yw bod heb y Gymraeg yn gorfod amharu ar fwynhad; Pabell y Dysgwyr – Maes D – yw y man galw cyntaf i rai sy'n awyddus dysgu'r iaith.
Lack of Welsh need not hinder enjoyment; the Learners' Pavilion – Maes D – is the first port-of-call for all who wish to learn the language.

O lyfrau i ddisgiau, o luniau a thelynau i bianos, bydd y Neuadd Arddangos yn llawn diddordeb i'r bobl ddiwylliannol sy'n dod i'r Brifwyl.
From books and CDs to paintings, harps and pianos, the Exhibition Hall contains much of interest to the cultured folk who attend the Eisteddfod.

Ceir yn ogystal gaffis dymunol a stondinau niferus yn gwerthu gemwaith, ffasiwn, cylchgronau Cymraeg a llawer mwy.
There's also a pleasant café and numerous stalls selling jewellery, fashion, Welsh-language magazines and much else.

Criw Bychan yn Hwylio Llong Fawr

O YSTYRIED maint y Brifwyl erbyn hyn, syndod yw deall mai dim ond staff llawn amser o bedwar ar ddeg – a thri rhan-amser – sy'n rhedeg yr holl sioe, deg yn llai nag yn 1998. Newidiodd ffurf weinyddol yr ŵyl yn llwyr dros y 30 mlynedd diwethaf, hynny'n bennaf o ganlyniad i orfod torri'r gôt yn ôl y brethyn.

Hyd 1978 roedd yr Eisteddfod yn cyflogi dau Drefnydd, un yn y de ac un yn y gogledd. Roedd gan y ddau eu hysgrifenyddes yr un ond gwirfoddolwyr fyddai'n gwneud yr holl waith arall. John Roberts oedd Trefnydd y gogledd a Tomi Scourfield y de, nes i hwnnw gael ei olynu gan Idris Evans. Olynwyd John Roberts yn ei dro gan Osian Wyn Jones.

Yna, o ganol y saithdegau ymlaen gwelwyd fod y baich ar y gwirfoddolwyr yn rhy drwm, a'r gwahoddiadau i gynnal yr ŵyl yn y gwahanol ardaloedd yn mynd yn brinnach. Yn wir, erbyn 1978 a 1979, cafwyd trafferth i gael unrhyw ardal a fyddai'n fodlon bod yn gartref i'r Eisteddfod.

Fe benderfynwyd mynd at y Swyddfa Gymreig a gofyn am help. Y canlyniad fu pasio Deddf yn y Senedd yn Llundain yn galluogi Llywodraeth y dydd i roi grant sefydlog ar yr amod fod yr Eisteddfod yn sefydlu gweinyddiaeth ganolog. Y canlyniad uniongyrchol i'r ail-wampio fu penodi Emyr Jenkins yn Gyfarwyddwr.

Gynt byddai swyddfeydd y de a'r gogledd yn symudol, gan sefydlu lle bynnag fyddai lleoliad yr Eisteddfod. Penodwyd Emyr yn 1978, ac fe dalodd y datblygiad ar ei ganfed. Cynhaliwyd Eisteddfod lwyddiannus iawn yng Nghaernarfon yn 1979, yn ddiwylliannol ac yn ariannol.

Yn ogystal â phenodi Cyfarwyddwr, penodwyd hefyd Swyddog Technegol, Goff Davies, swydd allweddol iawn. Rhyddhaodd hyn Emyr i ganolbwyntio ar y gwaith pwysig o godi arian a hybu delwedd yr ŵyl, gyda Goff i fod yng ngofal y gwaith technegol fel cynllunio'r Maes. Drwy hynny, codwyd y gwaith trwm oddi ar ysgwyddau'r gwirfoddolwyr yn syth. A dyna gychwyn cyfnod llewyrchus iawn i'r Brifwyl.

Hyd at y nawdegau fe aeth pethau yn eu blaen yn dda. Gadawodd Osian Wyn Jones ei swydd ar ôl Eisteddfod y Rhyl yn 1985 a phenodwyd Elfed Roberts yn ei le. Yr Eisteddfod gyntaf iddo fod ynddi oedd Eisteddfod Abergwaun yn 1986 pan fu'n cydweithio ag Idris Evans. Y flwyddyn ganlynol, ym Mhorthmadog, oedd ei Eisteddfod gyntaf ar ei ben ei hun. Yna newidiwyd teitl y swydd i Brif Weithredwr.

Tan yn ddiweddar roedd yna ddwy swyddfa ranbarthol, ac yna sefydlwyd swyddfa barhaol yng Nghaerdydd. Yn 2006 rhoddwyd y gorau i'r trefniant hwn hefyd gan nad oedd hi'n deg disgwyl i staff newid cartref bob dwy flynedd.

Elfed Roberts, Prif Weithredwr yr Eisteddfod.
Elfed Roberts, the Eisteddfod's Chief Executive.

Y sefyllfa bellach yw bod un swyddfa barhaol yng Nghaerdydd ac un sefydlog yn yr Wyddgrug. Un Trefnydd sydd yna bellach, sef Hywel Wyn Edwards ac mae pob aelod staff yn gweithio ar gyfer pob un gŵyl. Mae gan Hywel Ddirprwy Drefnydd, sef Alwyn Roberts, nhw sy'n trefnu'r ŵyl ble bynnag y'i cynhelir.

A Small Crew Sailing a Large Ship

CONSIDERING the size of the National Eisteddfod these days, it is surprising that it is administrated by only fourteen full-time and three part-time members of staff, ten fewer than in 1998. The administrative structure of the festival has been revamped completely over the past thirty years, mainly by cutting the coat according to the cloth.

Until 1978, the Eisteddfod employed two Organisers, one in the south and one in the north. Each had his own secretary, but all the remaining administration was carried out by volunteers. John Roberts was the North Wales Organiser, with Tomi Scourfield similarly employed in the south, until he was succeeded by Idris Evans. John Roberts, in turn, was succeeded by Osian Wyn Jones.

Then, from the middle of the seventies the burden on the volunteers was seen to be too much, and the invitations from areas wishing to stage the Eisteddfod too few and far between. Indeed, by 1978 and 1979, it had become difficult to find an area that was willing to stage the festival.

It was decided to go cap in hand to the Welsh Office to beg for help. The result was the passing of a Law in the Parliament in London empowering the Government of the day to provide a permanent grant on condition that the Eisteddfod set up a central administration. The result of this reorganisation was to employ Emyr Jenkins as Director.

Previously there were two offices, south and north, with a local office wherever the festival was to be held. Emyr Jenkins was appointed in 1978, and this development reaped immediate benefits. The Eisteddfod held at Caernarfon in 1979 was highly successful, both culturally and financially.

As well as appointing a Director, it was also decided to appoint Goff Davies as Technical Officer, a key position. This freed Emyr to concentrate on raising funds and enhancing the profile of the festival. Goff was to concentrate on the technical duties such as planning the Eisteddfod Maes. Thus, the load on the shoulders of the volunteers was immediately lifted. This heralded a highly successful period in the history of the festival.

Up until the nineties, things went ahead successfully. Osian Wyn Jones then left following the Rhyl 1985 Eisteddfod and was replaced by Elfed Roberts. His first Eisteddfod was the 1986 Fishguard Eisteddfod, where he worked side by side with Idris Evans. The following year's festival at Porthmadog was his first venture on his own. His position was then changed to that of Chief Executive.

Until recently there were two regional offices, then a central office was set up in Cardiff. In 2006 there was a further revamping which meant the end of staff having to move from north to south and vice versa every year. The situation now is that the central office in Cardiff remains, as well as another based in Mold where Hywel Wyn Edwards works as Eisteddfod Organiser. All members of staff now concentrate on the annual Eisteddfod together. Hywel has a deputy, Alwyn Roberts; the two Mold-based officers are now the permanent organisers, wherever the Eisteddfod is held.

Bydd diwrnod yn y Brifwyl yn gofyn am gynhaliaeth o safon uchel – popeth o brydau parod i fwydydd Cymreig wedi eu cyflwyno'n fedrus – ar nifer o leoliadau o gwmpas y Maes.
A day at the Eisteddfod calls for some high-quality sustenance – everything from fast food to skilfully presented Welsh produce is available, from several sites around the Maes.

Mae'r stondinau bwyd a'r bariau yn fannau delfrydol ar gyfer cymdeithasu – mae'r Eisteddfod yn fan cyfeillgar; mae pawb eisoes yn rhannu'r un teimladau oherwydd eu diddordeb yn y diwylliant Cymraeg.
The restaurants and bars are great places to socialise – the Eisteddfod is a friendly place; everyone already shares common ground through their interest in Welsh culture.

Y Barchus Arswydus Swydd

Elfyn Llwyd AS, yn union y tu ôl i'r Archdderwydd yn yr osgordd ddefodol.
Elfyn Llwyd MP, just behind the Archdruid, in the ceremonial entourage.

PAN DDEWISIR ardal neu fro fel cartref i'r Brifwyl, y penodiad mwyaf allweddol yw dewis Cadeirydd y Pwyllgor Gwaith. Dyma'r unigolyn fydd yn cydlynu holl bwyllgorau ac is-bwyllgorau dalgylch yr Eisteddfod, ac yn aml iawn, arno ef neu hi y gorwedd y gwahaniaeth rhwng llwyddiant neu fethiant.

'Pan drafodwyd dod â'r Eisteddfod yn ôl i Feirionnydd ar gyfer 2009, daeth ton o frwdfrydedd drosof gan gofio'r Eisteddfod heulog lwyddiannus a gafwyd ym 1997,' medd Elfyn Llwyd, AS Meirionnydd a Nant Conwy. 'Yn annisgwyl hollol fe'm gwahoddwyd i gadeirio'r Pwyllgor Gwaith ac y mae cael cynnig y swydd honno, wrth gwrs, yn fraint fawr. Serch hynny, roedd yn rhaid i mi ddwys ystyried y gwahoddiad gan i lawer o fewn y byd gwleidyddol gredu y buasem yn cael Etholiad Cyffredinol yn 2009, a fyddai wedi creu anhawsterau dybryd i mi. Nid oeddwn o'r farn ein bod am gael Etholiad ac felly fe dderbyniais y gwahoddiad.'

Wrth dderbyn y swydd roedd Elfyn hefyd yn ymwybodol bod gan y fro tua chwe mis yn llai o amser i baratoi na'r arfer, a hefyd bod nod ariannol aruchel, sef £201,000 i'w godi mewn llai o amser, a hynny yn ystod dirwasgiad difrifol. Gwyddai felly bod tasg enfawr o flaen y Pwyllgor Gwaith ac fe benodwyd pedwar Is-gadeirydd i'w gynorthwyo ac i ddirprwyo pan na allai fynychu pob cyfarfod.

'Fe ddylswn fod wedi sylweddoli bod penodi pedwar is-gadeirydd yn awgrymu swmp go lew o waith,' meddai. 'Fodd bynnag, cychwynnwyd ar y gwaith ac fe sefydlwyd yr holl Is-bwyllgorau – cyhoeddusrwydd, llên, cerdd, celf, dawns ac yn y blaen. Roeddem yn dra ffodus ym Meirionnydd i gael tîm o bobl wybodus a phrofiadol i ymgymryd â'r gwaith o'r dechrau ac i barhau i weithio'n ddi-flino nes mynd â'r maen i'r wal.'

Byddai'r Pwyllgor Gwaith yn ymgynnull unwaith y mis ar nos Iau yn y Bala i dderbyn a thrafod adroddiadau'r Is-Bwyllgorau ac i drafod y trefniadau, penodi Llywydd ac Is-lywyddion, ac yn y blaen. Yr hyn a wnaeth daro Elfyn o'r dechrau oedd y ffaith bod tua pedwar deg ar y Pwyllgor Gwaith, ac anaml iawn y byddai unrhyw un yn colli'r Pwyllgor. Braint, meddai, oedd cael bod yn rhan o'r tîm. Dim ond un Pwyllgor wnaeth Elfyn ei golli, a hynny oherwydd i'r trên y teithiai arno dorri lawr ar y ffordd adre o Lundain. Dywed iddo gael cymorth amhrisiadwy gan y trefnydd, Hywel Wyn Edwards ac Alwyn Roberts, yr is-drefnydd ac eraill o'r Swyddfa Ganolog.

Yn ychwanegol at hyn cynhelid cyfarfodydd chwarterol o Fwrdd ac o Gyngor yr Eisteddfod yn Aberystwyth ar nos Wener a bore Sadwrn. 'Cefais drafferth i ymbresenoli fy hun yn y rhain i gyd oherwydd bod cymaint o alwadau ar amser Aelod Seneddol ar benwythnosau, a dyma lle cefais gymorth gan fy nghyfeillion, yr Is-gadeiryddion,' meddai.

Bu hefyd yn ymweld â sawl cwmni lleol i geisio sicrhau nawdd i'r Eisteddfod, a bu'r ymateb yn anhygoel. Fe godwyd llawer mwy o arian na'r nod, tua £15 y pen i bob person sy'n byw ym Meirion a'r Cyffiniau. Er y dilyw go iawn a gafwyd am bythefnos cyn yr Eisteddfod, daeth yr haul i wenu ar y fro maes o law – fel sydd yn digwydd efo Eisteddfodau Meirionnydd!

'Cafwyd gwledd o ddiwylliant a brwdfrydedd heintus. Bydd pawb yn cofio'r gwenu parhaus gan y cynorthwywyr parcio, yr heddlu, y frigad dân, dynion ambiwlans, a phawb,' meddai. 'Parti mawr a gafwyd – a gwneud elw swmpus yn ogystal.'

'Fe gofiaf am byth i mi gael y fraint o fod yn rhan fechan o'r ŵyl odidog ym Meirionnydd yn 2009.'

Holder of the Uneasy Chair

Cadeirydd Pwyllgor Gwaith Blaenau Gwent, Richard Davies ar y chwith gyda Threfnydd yr Eisteddfod, Hywel Wyn Edwards.
Chairman of the Blaenau Gwent Executive Committee, Richard Davies, on the left, with Eisteddfod organiser Hywel Wyn Edwards.

WHEN A REGION or district is accepted as a home for the Eisteddfod, the key appointment is always that of the Chair of the Executive Committee. This individual is expected to coordinate all the various committees and sub-committees within the Eisteddfod catchment area, and often the very success or otherwise of the event rests on his or her shoulders.

Elfyn Llwyd MP for Meirionnydd and Nant Conwy, recalls: 'When the idea of bringing the Eisteddfod back to Meirionnydd in 2009 was mooted, I felt I was being engulfed by a huge wave of enthusiasm as I remembered that sunny and successful festival held there in 1997. When I was invited to the Chair, it was totally unexpected. Being offered such a post is, naturally, a huge honour. Even so, I was forced to consider the invitation most carefully as there were many within political circles who believed that we would see a General Election in 2009. That, of course, would have brought me many awkward problems. However, I was not of the opinion that a General Election was imminent, so I accepted the post.'

In accepting the Chair, Elfyn was also aware that the Bala Eisteddfod had been given six months less than normal for its preparations and that also there was the matter of £201,000 to raise in a time of deep recession. He was therefore aware of the huge task facing the Executive Committee and so four vice-chairs were appointed to deputise when he would be unable to attend.

'I should have realised that appointing four vice-chairs suggested quite a large volume of work,' he said. 'However, we began the task and went on to appoint all the necessary Sub-committees – publicity, literary, music, arts, dance and so on. We were most fortunate in Meirionnydd to have a team of knowledgeable and experienced people to undertake the work and to keep working tirelessly towards our goal.'

The Executive Committee would meet once a month on a Thursday night at Bala to receive and discuss sub-committee reports and discuss the arrangements, appoint a President and Vice Presidents and so on. From the very beginning, Elfyn was struck by the fact that there were around forty members on the Executive Committee and it was seldom that anyone would miss a single meeting. It was a privilege, he said, to be part of the team. Elfyn himself only missed one meeting – the train he was travelling on broke down on the journey from London to Bala. He said he'd had invaluable assistance from the organiser Hywel Wyn Edwards, and his deputy Alwyn Roberts as well as others at the Eisteddfod Office.

In addition to this, quarterly meetings of the Eisteddfod Board and Council were held at Aberystwyth on Friday nights and Saturday mornings. 'I found it difficult to attend all of these because of my work as MP at weekends,' said Elfyn, 'and this was when help from my friends the Vice Chairs proved to be invaluable.'

He also visited various local businesses seeking financial support for the Eisteddfod, and the response was incredible. A lot more money was raised than the aim – about £15 a head for every person living in Meirion and District. And despite the deluge suffered during the fortnight leading up to the Eisteddfod, the sun shone on the area – as seems to happen to all of Merionnydd's Eisteddfodau!

'We enjoyed a feast of culture and infectious enthusiasm,' he said. 'All of us will remember the constant smiles, from the parking assistants, the police, the fire service, ambulance personnel and everyone who helped,' said Elfyn. 'It became a huge party – and we made a fat profit as well.'

'I will always remember the privilege of playing a small part in that splendid Eisteddfod at Meirionnydd in 2009.'

Bydd cyfarfod â hen gyfeillion yn un o bleserau diwrnod yn y Brifwyl.
Bumping into old friends is part of the pleasure of a day at the Eisteddfod.

Mae awyrgylch hwyliog ar y meysydd carafanau a phebyll, yn ogystal ag o gwmpas y Maes.
A party atmosphere prevails at the caravan and camping sites, as well as around the Maes.

Mae'r darn gwych hwn o gelfyddyd wedi ei greu gan blant a fu'n mynychu gweithdai yn stondin Oriel Mostyn yn Eisteddfod y Bala.
This fine piece of art was created by children who attended workshops at the stand of Oriel Mostyn at the Bala Eisteddfod.

Mae gweithgareddau dan arolygaeth ar gyfer plant yn cynnwys paentio, crochenwaith a hyd yn oed – ar stondin Awdurdod Parc Cenedlaethol Eryri – adeiladu wal gerrig.
Supervised activities for children include painting, pottery and even – on the stand of the Snowdonia National Park Authority – dry-stone walling.

Y Babell Binc

EISTEDDFOD PORTHMADOG yn 1987 oedd yr olaf i ddefnyddio'r hen bafiliwn mawr. Cymerai flwyddyn, bron iawn i godi hwnnw, ei ddymchwel, ei symud ar gefn lorïau anferth ac yna ei ail-godi ar y safle nesaf. Ar ddiwedd Eisteddfod Abergwaun dechreuwyd ei ddatgymalu, yna ei gludo mewn lorïau i'r Maes ger Tremadog.

'Rwy'n falch i mi gael y cyfle i weithio arno,' medd y Prif Weithredwr, Elfed Roberts. 'Gan fod Maes y Port yn dir oedd wedi ei adennill o'r môr, y broblem fwyaf fu canfod craig i sylfaenu'r adeilad. Yr ateb fu gosod pileri concrid yn ddwfn yn y ddaear er mwyn angori'r adeilad, ac ar gyfer un o'r rheiny fe aeth y dril i lawr 30 metr cyn taro ar graig.'

Mae Elfed yn cydnabod fod y Pafiliwn Mawr yn adeilad gwych, ond roedd y gost yn y diwedd y tu hwnt i bob rheswm. Eto o ran adnoddau, roedd yn berffaith.

'Ynddo roedd gantri anferth yn galluogi rhywun i weld yr adeilad ar ei hyd a'i led o uchder, a chan mai hon oedd fy eisteddfod gyntaf i, fe wnes i ddefnydd helaeth ohoni. Er enghraifft, rown i wedi anfon llythyr i hysbysu enillydd y Goron, John Gruffydd Jones ac i Ieuan Wyn, enillydd y Gadair yn eu hysbysu pryd i fod yno a lle byddai eu seddi. Rown i'n poeni a fydden nhw yno mewn pryd, ac fe wnes i fynd fyny i'r gantri i wneud yn siŵr eu bod nhw yno. Oedd, roedd y ddau yn eu lle ar yr adegau penodedig, er mawr ryddhad i mi.'

Yna fe gafwyd y pafiliwn ysgafn cyntaf, tebyg i babell syrcas, un â phlisgyn gwyrdd. Fe'i defnyddiwyd yng Nghasnewydd 1988. Yna defnyddiwyd yr un â phlisgyn glas a streipiau melyn cyn dyfodiad yr un presennol, y Pafiliwn Pinc, sy'n dal 3,500 o seddi.

'Damwain hollol oedd cael y Pinc,' medd Elfed. 'Cwmni de Boer fyddai'n darparu'r un glas a melyn, a dyma'r cwmni'n ein hysbysu o'i fwriad i ddarparu pafiliwn lliw pinc fel rhan o'i nawdd i elusen Cancr y Fron. Roedd yr Eisteddfod y flwyddyn honno'n ymweld ag Abertawe, ar safle hen waith dur y Felindre. Hen le llwm oedd o, heb fawr ddim glaswellt ar y ddaear, na choed chwaith. Felly dyma feddwl y byddai'r Pinc yn edrych yn dda. Ac mae pobol wedi cymryd at y Pinc yn fawr.'

Mae'r adeilad presennol yn un hwylus iawn, medd Elfed. Dydi'r gwaith ar y Maes ddim yn dechrau tan yr ail neu'r drydedd wythnos ym mis Mai. A chyn diwedd mis Medi, mae'r cyfan wedi'i godi a'i symud oddi yno i'w storio neu ei ddefnyddio mewn mannau a digwyddiadau eraill tan y mis Mai nesaf.

The Pink Pavilion

THE PORTHMADOG 1987 Eisteddfod was the last to use the old-style pavilion. The work of erecting it, dismantling it, moving it on lorries and re-erecting the huge structure on the next site would take almost a year. Following the Fishguard Eisteddfod of 1986, it was moved to Porthmadog.

'I'm glad I was given the opportunity of working on it,' said the Chief Executive, Elfed Roberts. 'Because the Maes at Port was land reclaimed from the sea, the main problem was finding rock that could be used as a foundation for the building. We overcame the problem by sinking concrete pillars deep into the earth to anchor the structure. One of these pillars had to be sunk as deep as 30 metres before we managed to hit solid rock.'

Elfed admits that the old square structure was a fine building, but the cost of erecting it, moving it and re-erecting it was prohibitive. Yet, as a facility it was perfect.

'It included a large gantry that allowed access for overseeing the entire building from above, and as this was my first Eisteddfod I decided to use it as much as possible. I had, for instance, contacted the winning Crown and Chair poets, John Gruffydd Jones and Ieuan Wyn, notifying them when and where to be present. I felt rather nervous, so I decided to go up the gantry on both occasions to ensure that they were present. Much to my relief, they were both there in their allocated seats in good time.'

The first circus-type pavilion, with a green cover, was first used at Newport in 1988. This was followed by a similar marquee, with blue and yellow stripes. This, in turn, was followed by the present structure, the Pink Pavilion, with 3,500 seats.

'We were offered the Pink Pavilion by chance,' said Elfed. 'The striped marquee was supplied by DeBoers, and the company offered us the use of the Pink Pavilion as part of its campaign to raise funds for Breast Cancer research. That year, the Eisteddfod was visiting Swansea, on the site of the old demolished steelworks at Felindre. It was a desolate spot with no trees and very little grass, so we thought the Pink would look good. It is now a natural part of the Eisteddfod and has been warmly accepted.

Elfed feels that the Pink Pavilion is most convenient. The work on the Eisteddfod Maes does not have to begin until the second or third week in May. And by the end of September, the pavilion will have been cleared for storage or for use on some other site for another event. The following May, it will be moved to the next Eisteddfod Maes.

Mae Maes y Brifwyl yn greadigaeth ryfeddol; gwersyllfa dros-dro o'r math difyrraf gydag adeiladau lliwgar a baneri – ond hefyd mae'n cynnwys ffyrdd, cyflenwadau dŵr a trydan, pibellau a stiwardiaid gwirfoddol hyfforddedig a all drafod mwy nag ugain mil o bobl bob dydd.
The Eisteddfod field is a remarkable creation; a temporary encampment of the jolliest kind, with its colourful pavilions and flags – but also with roads, water and electricity supplies, plumbing and trained volunteer stewards capable of handling upwards of twenty thousand visitors each day.

Mae'r stondinau, a drefnir ar ffurf strydoedd o gwmpas y Maes, yn cynnwys ystod amrywiol o siopau a phebyll crefftau – ynghyd ag ymron bob mudiad gwirfoddol ac elusennol yng Nghymru.
The stands arranged in 'streets' around the Maes include a wide range of shops and crafts stalls – along with just about every educational, voluntary and charitable organisation in Wales.

Ar lwyfannau awyr-agored ceir perfformiadau gan fandiau a chantorion y dydd, sy'n denu cynulleidfaoedd niferus.
Outdoor stages feature performances by the 'happening' bands and singers of the day, attracting large audiences.

Gellir clywed pob arddull gerddorol rywle ar y Maes, yn cynnwys y clasurol, gwerin, jazz a roc.
Every style of music may be heard somewhere on the Maes, including classical, folk, jazz, and rock.

Bydd y bandiau pres yn creu seiniau cyffrous yn ystod eu cystadlaethau – mae bandiau a ffurfiwyd yn y cymunedau glofaol a diwydiannol yn dal yn gryf.
The brass bands make a thrilling sound during their competitions – bands formed in mining and industrial communities, especially, are still going strong.

Bydd y beirniaid yn eistedd mewn pabell fach gaeedig yng nghanol y Pafiliwn pan fyddant yn beirniadu rhag iddynt wybod pa un o fandiau elît Cymru – Band y Cory, Bedwas, Trethomas a Machen, Deiniolen, Porthaethwy ac eraill – sydd ar y llwyfan.
The judges sit in a small, enclosed tent in the centre of the Pavilion and make their adjudications unaware of which of the elite bands of Wales – The Cory Band; Bedwas, Trethomas and Machen; Deiniolen; Menai Bridge and others – is on stage.

Bydd y genhedlaeth ifanc ymhlith Eisteddfodwyr yn gweld y Brifwyl fel lle 'cŵl' i fod ynddo – mae'r traddodiad corawl, yn arbennig, yn esblygu i gyfeiriadau newydd a chyffrous.
The younger generation of competitors sees the Eisteddfod as a 'cool' place to be – the choral tradition, in particular, is evolving in new and exciting directions.

O'r corau cymysg, ifanc i'r corau meibion traddodiadol a chorau pensiynwyr, mae'r Brifwyl yn fan perffaith ar gyfer clywed cerddoriaeth o'r radd uchaf.
From the young, mixed choirs to the traditional male-voice choirs and the pensioners' choirs, the Eisteddfod is a great place to hear top-quality music.

Bydd y cyngherddau gyda'r nos yn darparu artistiaid o'r safon uchaf – yn yr achos hwn, seren y byd opera, Bryn Terfel.
The evening concerts feature singers of the highest calibre – in this case, international opera star Bryn Terfel.

Bydd rhaglenni'r cyngherddau'n amrywio o oratorios ac offerennau traddodiadol i gyfansoddiadau newydd gan gyfansoddwyr Cymreig (yma gwelir Karl Jenkins yn arwain 'Dewi Sant') a datganiadau gan unawdwyr blaenllaw.
Concert programmes range from the established oratorios and masses to new works by Welsh composers (Karl Jenkins is seen here, conducting 'Dewi Sant') and recitals by leading soloists.

Perfformir cerddoriaeth fodern o sioeau cerdd gan artistiaid fel Rhydian – yma'n cael cymorth Côr Glanaethwy, wedi eu hyfforddi ac yn cael eu harwain gan Cefin Roberts.
Modern music, including songs from musical theatre, is performed by the likes of Rhydian – ably backed here by Côr Glanaethwy, trained and conducted by Cefin Roberts.

Mae gan Gymru sîn gerddorol ffyniannus – ei sêr yn ymddangos yn aml mewn cyngherddau ac ar deledu, a rhai yn mynd yn eu blaen i berfformio yn theatrau Llundain. Mae 'Only Men Aloud', sydd wedi ymddangos ar lwyfan yr Eisteddfod droeon, wedi bod yn llwyddiannus iawn.

Wales has a thriving popular-music scene – its stars appear frequently in concert and on television, and some have gone on to perform in London theatres. 'Only Men Aloud', who have appeared on the Eisteddfod stage more than once, have achieved great things.

Gwaith Cyfrifiadurol – a Gwaith Papur!

ER BOD Maes yr Eisteddfod yn bentref o ran maint, un dyn sy'n gyfrifol am yr holl waith o'i gynllunio a threfnu i'w godi – ac, wrth gwrs – ei ddymchwel. Olynwyd y Swyddog Technegol cyntaf, Goff Davies gan Alan Gwynant yn Llanrwst yn 1989 fel Cyfarwyddwr Technegol. Roedd ganddo brofiad o gyflawni'r union waith ar Faes Eisteddfod yr Urdd.

Dyletswydd cyntaf Alan oedd cael gwared ar yr hen Bafiliwn Mawr, y daeth ei ddefnyddioldeb i ben yn Eisteddfod y Port. Roedd yn dal ar ei draed ar y pryd, ac Alan fu'n gyfrifol am ei drosglwyddo i'w berchenogion newydd, cwmni Govan Davies yn Noc Penfro. Ac yno mae e o hyd.

'Ar wahân i'r ochr gelf, a'r drefn ar y llwyfan, rwyf yng ngofal pob agwedd,' medd Alan, 'yn cynnwys yn arbennig iechyd a diogelwch a stiwardio. Pan gychwynnais yn Llanrwst roedd gen i Faes o 17 erw i'w gynllunio. Fe dyfodd hynny i tua 30 erw, ac mae wedi aros felly ers hynny, er bod yna amrywio o flwyddyn i flwyddyn.'

Yn y Bala yn 2009 roedd 320 o stondinau ar y Maes, heb sôn am y pebyll mawr fel y Babell Lên, y Lle Celf a'r pebyll Drama, Cerdd a'r Cymdeithasau ac yn y blaen. Pan ddechreuodd Alan roedd yr Eisteddfod yn berchen ar nifer o'r pebyll, ond llogir y cyfan erbyn hyn. Ar gyfer gwaith y Maes cyflogir tuag ugain o weithwyr, rhai'n lleol, eraill yn dod bob blwyddyn.

Bydd gwaith Alan ar y safle'n dechrau ganol mis Mai, a bydd yn treulio pum mis yn byw ym mro'r Eisteddfod bob blwyddyn gan adael ganol mis Medi. Yn y Bala ni ryddhawyd y tir yn ôl i'r perchennog tan y gwanwyn canlynol, oherwydd yr angen i ail-blannu ac ati.

Er gwaetha'r holl waith, ychydig iawn o staff sydd gan Alan. Ceir dau yn Llanybydder, lle storir yr adnoddau, ac mae ganddo un aelod staff arall sy'n gyfrifol am y stondinau.

Edrychir bob blwyddyn am ddeng mil o oriau gwirfoddol gan stiwardiaid ar gyfer wythnos yr ŵyl yn unig. Mae hyn yn golygu hyd at 250 o stiwardiaid ar gyfer tua 200 o shifftiau'r dydd. Mae un shift yn bum awr.

Bydd Alan yn gweithio dair blynedd ymlaen llaw. Eisoes mae'r gwahoddiadau i mewn i fyny at 2015. Gweithio mewn iard longau oedd Alan pan adawodd yr ysgol felly mae'n gwybod beth yw gorfod cynllunio'n llafurus ar bapur fel drafftsmon ar gyfer llongau.

'Pan wnes i ddechrau yn Llanrwst a dangos fy nghynllun cyntaf o'r Maes, dyma rywrai'n awgrymu newid pethe o gwmpas,' meddai. 'Fe gymerodd ddau ddiwrnod cyfan i mi ail-ddrafftio'r cynllun. Yn y pwyllgor nesaf dyma gael gwybod fod y cynllun gwreiddiol yn well. Heddiw medrwn wneud y newidiadau mewn munudau.'

Ac ystyriwch hyn, Eisteddfodwyr. Prynir bob blwyddyn 13,000 metr sgwâr o garpedi. Defnyddir dros bum milltir o weiers trydan, a thair milltir o beipiau dŵr. Defnyddir dros 300,000 galwyn o ddŵr dros wythnos yr Eisteddfod bob blwyddyn. Gwaredir dros 400,000 galwyn o garthffosiaeth. A defnyddir ymron ugain milltir o bapur tŷ bach! Nawr, dyna 'waith papur' o fath gwahanol!

Alan Gwynant ymhlith ei blaniau.
Alan Gwynant amongst his plans.

Miles of Paperwork!

Wel, mae'n rhaid dechrau yn rhywle!
Well, you have to start somewhere!

ALTHOUGH THE Eisteddfod Maes resembles a small village, the work of planning it and overseeing the erection – and removal – of the various buildings rests on the shoulders of just one man. The Eisteddfod's first Technical Officer, Goff Davies, was succeeded by Alan Gwynant as Technical Director in time for the Llanrwst Eisteddfod of 1989. Alan had previously carried out similar work for the Urdd Eisteddfod.

Alan's first task was to get rid of the old Big Pavilion, when it became redundant at the Porthmadog Eisteddfod. It still stood there as the Eisteddfod moved on and Alan's task was to oversee its transfer to its new owners, Govan Davies at Pembroke Dock, where it remains.

'Apart from the various arts and crafts and the stage requirements, I take care of all other aspects, including health and safety and stewarding,' said Alan. 'When I began at Llanrwst, I was faced with planning a 17 acre Maes. Soon, this grew to around 30 acres, although it may vary from year to year.'

At Bala in 2009 there were 320 stands on the Maes, apart from the usual large tents such as the Literary Pavilion, the Art centre and the Drama, Music and Societies pavilions. When Alan first joined the staff, the Eisteddfod owned a number of these structures, but nowadays they are all hired. Around twenty people are employed seasonally – some local – every year.

Alan's work on site begins in mid May, and he spends five months every year living in the area where the Eisteddfod is to be held. At Bala, the land was not handed back to the owner until the following spring because of the need to re-plant and re-seed and so on.

Despite the volume of work, Alan has only a few full-time staff members helping him. Two are employed at Llanybydder, where the resources are stored, and he has one person in charge of the stands.

Every year the Eisteddfod will be looking for ten thousand hours of voluntary help from stewards over the festival week itself. This amounts to 250 stewards working 200 shifts a day, one shift meaning five hours.

Alan works three years in advance. Already the invitations to stage the Eisteddfod for the next five years have been accepted. Alan's past experience of working in a shipyard after he left school meant he was already used to painstakingly planning and charting on paper as a draughtsman.

'When I started at Llanrwst and presented my first planning draft, someone suggested I should change things around,' he recalls. 'Re-draughting took me two full days. At the next meeting I was informed that the original plan was better. Today it would take me only a few minutes to make such changes.'

And consider this, all you Eisteddfodwyr. Every year, Alan needs to buy 13,000 square metres of carpet. Over five miles of electrical cables are used, as well as three miles of water pipes. Over 300,000 gallons of water are used over Eisteddfod week each year. Over 400,000 gallons of sewage have to be removed. And almost twenty miles of toilet paper is used! Now that's 'paperwork' of a different kind!

Mae'r Maes yn lleoliad nifer o ddigwyddiadau a dathliadau bob blwyddyn. Yma roedd mudiad Merched y Wawr yn dathlu ei ddeugeinfed pen-blwydd yn Yr Wyddgrug yn 2007.
The Maes is a venue for many events and celebrations each year – this was the women's organisation Merched y Wawr celebrating its fortieth anniversary at Mold in 2007.

Mae ystod y digwyddiadau o gwmpas y Maes yn eang a phoblogaidd: mae sioe ffasiwn Masnach Deg, recordiad o'r rhaglen deledu 'Dechrau Canu, Dechrau Canmol', darllen yn stondin Prifysgol Cymru, dosbarthiadau dawns hip-hop, a chyflwyniadau gan y Llyfrgell Genedlaethol, yn rhoi awgrym o'r amrywiaeth.
The range of events held around the Maes is wide and appealing: a Fair Trade fashion show, the recording of television's 'Dechrau Canu, Dechrau Canmol' (the Welsh equivalent of the BBC's Songs of Praise), readings at the University of Wales' stand, hip-hop dance classes and presentations by the National Library of Wales, hint at the variety.

Ymlacio ym merw'r Ŵyl

GELLID TYBIO mai penllanw prysurdeb Trefnydd yr Eisteddfod fyddai wythnos y Brifwyl ei hun. Ond na. I Hywel Wyn Edwards mae wythnos yr Eisteddfod yn gyfle iddo ymlacio. Mae hynny'n rhoi rhyw fath o awgrym o'i brysurdeb weddill y flwyddyn.

Cychwynnodd Hywel weithio i'r Eisteddfod yn yr Wyddgrug yn 1991 pan fu'n Ysgrifennydd y Pwyllgor Gwaith. Y flwyddyn ganlynol yn Aberystwyth, ef oedd yng ngofal y llwyfan. Cychwynnodd yn swyddogol fel Trefnydd y Gogledd yn dilyn Eisteddfod Llanelwedd. O dan y drefn bresennol, ef yw'r Trefnydd, gyda'r swyddfa'n barhaol yn yr Wyddgrug ers 2006, lle mae chwech o aelodau staff.

Fel sy'n wir am flwyddyn ysgol, teimla fod ei flwyddyn ef yn dechrau ym mis Medi. Dyma gyfnod edrych yn ôl ar yr Eisteddfod a aeth heibio a llunio adroddiad gyda'r Prif Weithredwr, Elfed Roberts. Yna rhaid edrych ymlaen at yr Eisteddfod y flwyddyn ganlynol, a'r flwyddyn ar ôl hynny.

'Yn dilyn Eisteddfod y Bala roedd angen mynd ati bron ar unwaith i sefydlu gwahanol bwyllgorau, pedwar ar ddeg ohonyn nhw ar gyfer Wrecsam,' meddai. 'Yn y cyfamser roedd y paratoadau ar gyfer Glyn Ebwy yn parhau.'

O ddechrau blwyddyn ymlaen rhaid trefnu tocynnau'r gwahanol ddigwyddiadau. A daw gwahanol ddyddiadau cau, gyda'r uchafbwynt yn cyrraedd ar Ebrill 1af. Nid bod yna unrhyw arwyddocâd yn y dyddiad, meddai! Dyna ddyddiad cau'r cyfansoddiadau. Ar gyfer y Bala derbyniwyd 763 o gynigion.

'Bydd llawer o'r hyn a dderbynnir wedi ei gofrestru,' meddai, 'sy'n golygu arwyddo wrth dderbyn pob amlen. Pan fo angen tâl cystadlu bydd rhai'n talu mewn arian parod a'i osod o fewn yr amlen, neu'n anfon archeb bost neu hyd yn oed siec yn enw rhywun arall fel na fedra'i wybod pwy sy'n cystadlu!'

Ganol Mai daw'n amser i baratoi Rhaglen y Dydd. Mae hwn erbyn hyn, meddai, bron iawn mor drwchus â *Chaneuon Ffydd*! Erbyn diwedd yr ail wythnos ym mis Mai mae'r beirniaid wedi dewis enillwyr y cyfansoddiadau. Gallai Hywel, pe dymunai, ganfod a oes yna deilyngdod. Yn wir, gallai ganfod enw pob enillydd. Ond gwell ganddo oedi am ychydig. Mor bwysig yw cadw cyfrinach fel y caiff yr amlenni sy'n cynnwys ffugenwau'r enillwyr a'u henwau go iawn eu cadw y tu allan i'r swyddfa.

Erbyn mis Gorffennaf daw cyfle i gael golwg ar y Maes. Daw seremoni cyhoeddi Eisteddfod y flwyddyn ganlynol pan fydd y rhestr testunau'n barod. Bydd Hywel yn treulio tua deng niwrnod yng Ngwasg Dwyfor yn goruchwylio'r gwaith o osod ac argraffu'r gyfrol.

'Wythnos yr Eisteddfod yw'r amser i ymlacio,' meddai. 'Byddaf ar y Maes bob dydd tua 7.30 yn y bore a byddaf yn gadael tua hanner nos. Wythnos fach ysgafn!'

Hywel Wyn Edwards, Trefnydd yr Eisteddfod.
Hywel Wyn Edwards, the Eisteddfod Organiser.

The Eisteddfod – a relaxing place

EISTEDDFOD WEEK would seem to be the Organiser's busiest time. But no. To Hywel Wyn Edwards it is a chance to relax. This suggests how busy he is kept over the rest of the year.

Hywel began his working association with the Eisteddfod at Mold in 1991 when he was Secretary of the Executive Committee. The following year at Aberystwyth he was in charge of the stage. He became North Wales Organiser following the Llanelwedd Eisteddfod in 1993. Since 2006 he has worked as Organiser, with the office sited permanently at Mold.

As in the case of the school year, his year begins in September. This is a time to look back at the past Eisteddfod and to compile a report with the Chief Executive, Elfed Roberts. Then he has to look forward to the next Eisteddfod and the one after that.

'Immediately following the Bala Eisteddfod, it was time to look towards Wrexham in 2011 and establishing fourteen various committees,' he said. 'And of course, there was the little matter of the 2010 Eisteddfod at Ebbw Vale!'

Around every new year he has to organise tickets for the various events. Then come the various closing dates for competitions, with the climax on April 1st. Hywel stresses that there is no special significance in the date! This is the closing date for all written work. For the Bala Eisteddfod, 763 entries were received – all under noms de plume!

'Many entries come by registered post, so those have to be signed for. When a competing fee is required we sometimes receive it in cash in the same envelope. Others send postal orders and even cheques made out in someone else's name – just to make sure that I don't know the identity of the competitor!'

Hyd yn oed yng ngwres y cystadlu am Ruban Glas yr offerynwyr, ymddengys ei bod hi'n dal yn bosib mwynhau eiliadau o ymlacio pur!
Even in the heat of competition, for the instrumental Blue Riband, it is apparently possible to enjoy a moment of enraptured relaxation!

Around mid May, the official programme is prepared. It is, said Hywel, almost as heavy as *War and Peace*! By the end of the second week in May the adjudicators will have chosen the winners of the written work. Hywel could, if he wished, discover if there was a worthy winner. In fact, he could discover the name of every winner! But he'd prefer to wait for a while. It is so important to keep the secret that the envelopes containing the *noms de plume*, and their real names, are kept out of the office.

By June, Hywel has the opportunity of visiting the Eisteddfod site. Then comes the Proclamation of the next year's Eisteddfod and the publishing of the tasks. Before that is ready, Hywel spends around ten days at Gwasg Dwyfor, overseeing the typesetting and printing of the programme.

'Eisteddfod week is the time to take things easy,' he said. 'I am on the field every day from 7.30 every morning till around midnight. A nice, relaxing week!'

Yr arweinydd Sioned James ac aelodau o Gôrdydd – côr cymysg o'r Brifddinas ac enillwyr rheolaidd yn y Brifwyl ac mewn gwyliau cerdd – yn dathlu yng nghefn y llwyfan.
Conductor Sioned James and members of Côrdydd – a mixed choir from Cardiff, frequent winners at the Eisteddfod and at choral festivals – celebrate backstage.

Bydd aelodau'r corau'n treulio oriau'n ymarfer er mwyn tiwnio'u lleisiau i berffeithrwydd – a'r uchafbwynt yw gweld eu harweinydd yn codi'r tlws yn uchel gan wybod mai nhw yw'r gorau yng Nghymru!
Choir members put in many hours of practice year-round to hone their sound to perfection – for the satisfaction of seeing their conductor lifting the trophy high and knowing that they are the very best in Wales!

Ymwelwyr o dramor, o dras Cymreig neu â chysylltiad gyda Cymru, yn derbyn croeso yn y Pafiliwn; dengys baner Ariannin bresenoldeb grŵp o gymuned Gymreig Patagonia.
Visitors with Welsh origins or connections from overseas are welcomed in the Pavilion; the Argentinian flag shows the presence of a group from the Welsh community in Patagonia.

Bydd cyflwyniadau i'r rhai sydd wedi amlygu eu hunain yn y celfyddydau cain, llenyddiaeth, drama, gwyddoniaeth a thechnoleg a gwaith gwirfoddol. Pan enillodd Tony Bianchi wobr Daniel Owen am lenyddiaeth yn Yr Wyddgrug, synnwyd ef gan ymddangosiad yr awdur o'r bedwaredd ganrif ar bymtheg ei hun ar y llwyfan!

There are presentations to those who have distinguished themselves in fine art, literature, drama, science and technology, business and voluntary service. When Tony Bianchi won the Daniel Owen prize for literature in Mold, he was surprised to find the nineteenth-century novelist himself appearing on stage.

Y Rhuban Glas – a enillwyd yn Y Bala gan y bariton Trebor Lloyd Edwards, a welir yma'n cystadlu – yw'r wobr uchaf i unawdwyr.
The Blue Riband – won in Bala by baritone Trebor Lloyd Edwards, seen here during his performance – is the ultimate prize for vocal soloists.

Ceir cystadlaethau ar gyfer cantorion o bob oed, o blant i bensiynwyr. Fe wnaeth Bryn Terfel, Gwyn Hughes Jones, Rhys Meirion a sêr amlwg eraill ennill profiad cynnar o berfformio o flaen cynulleidfa yn yr Eisteddfod.
There are competitions for vocalists of all ages, from children to pensioners. Bryn Terfel, Gwyn Hughes Jones, Rhys Meirion and other major stars gained early experience of performing before an audience at the Eisteddfod.

Mae'r dull cerddorol arbenigol Cerdd Dant – canu penillion yn erbyn alaw gyfarwydd, cân werin yn aml, a chwaraeir ar y delyn – wedi ei ddiogelu yn yr Eisteddfod ac yn ei ŵyl boblogaidd ei hun.
The specifically Welsh musical form Cerdd Dant – the singing of verse against a familiar melody, often a folk tune, played on the harp – is preserved at the Eisteddfod and its own popular annual festival.

Yn wreiddiol byddai Cerdd Dant yn cael ei addasu'n fyrfyfyr gan unawdydd yn canu gwrth-alaw i'r telynor – heddiw gosodir y darnau'n bwrpasol ar gyfer eu perfformio gan barti bychan o gantorion, heb arweinydd. Cerdd Dant was originally improvised by a soloist singing in counter-melody to the harpist – the pieces are nowadays set specifically for performance by a small party of singers, without a conductor.

Curiad Calon y Cymry

GOFYNNWCH I Eisteddfodwyr brwd sydd dros eu trigain oed pa un oedd blwyddyn aur yr ieuenctid yn y Brifwyl. Cewch weld y bydd y mwyafrif mawr yn debyg o edrych yn ôl ar y Bala 1967.

Yn Eisteddfod y Bala'r flwyddyn honno y sefydlwyd Maes B, man gwersylla i bobl ifanc. Ceir hanesion am y lle sydd, erbyn hyn, wedi troi'n chwedlau. Cewch glywed am gerddoriaeth fyrfyfyr hyd oriau mân y bore, am helyntion caru ac am geiliog swnllyd a blufiwyd yn fyw. Llyncwch yr hanesion gyda llond llaw o halen, ond mae iddynt sail wirioneddol.

Yn y Bala'r flwyddyn honno y gwelwyd ac y clywyd y band roc Cymraeg cyntaf mewn hanes, Y Blew. Ac un o'r caneuon cyntaf iddynt eu recordio oedd cân o'r enw Maes B, rhyw fath o deyrnged i'r parc. Yn wir, fe berfformiodd y band ar Faes yr Eisteddfod gan darfu ar fwynhâd caredigion barddol a llenyddol y Babell Lên.

Ugain mlynedd yn ddiweddarach yn y Bala ail-sefydlwyd Maes B, menter sydd bellach yn rhan annatod o ddigwyddiadau ymylol y Brifwyl. Darperir adloniant nosweithiol a fydd erbyn hyn yn denu cyfanswm o ddeg mil o bobl ifanc a ddaw i wrando ar tua deugain o fandiau neu artistiaid unigol.

Gan i Faes B brofi i fod yn gymaint o atyniad dechreuodd y bobl hŷn gwyno am ddiffyg darpariaeth gyda'r nos. A dyma gychwyn Maes C. Tyfodd hwn i fod yn ganolfan darparu cerddoriaeth a barddoniaeth, a bydd yno far hwyr. Mae Maes C yn cynnig adloniant mwy anffurfiol i'r adloniant traddodiadol a gynhelir gyda'r nos yn ystod wythnos yr Eisteddfod, digwyddiadau fel cyngherddau a dramâu.

Ac i barhau gyda'r wyddor, ychwanegwyd erbyn hyn Faes D, pabell wedi ei neilltuo ar gyfer dysgwyr, gyda chyhoeddi canlyniadau cystadleuaeth Dysgwr y Flwyddyn yn uchafbwynt. Mae'r gystadleuaeth hon yn agored i unrhyw un sydd wedi dysgu Cymraeg.

Mae pabell Maes D erbyn hyn yn fwrlwm o weithgaredd gyda chystadlaethau llwyfan ar ganu ac adrodd, dweud jôcs a storïau ynghyd â chyfansoddi barddoniaeth a llenyddiaeth a hyd yn oed greu blog.

Tyfodd y digwyddiadau ymylol i fod lawn mor bwysig â'r Eisteddfod ei hun erbyn hyn. Nid y Pafiliwn Mawr yn unig yw'r Eisteddfod, o bell ffordd. Mae'r Babell Lên wedi hen ennill ei phlwyf. I rai, dyma galon y Brifwyl lle cynhelir cyflwyniadau a darlithoedd, beirniadaethau ac ymrysonau'r beirdd. Mae enw'r Theatr yn cyfleu pwrpas y babell honno; felly hefyd Babell y Cymdeithasau, y Babell Wyddoniaeth a Thechnoleg, y Neuadd Ddawns a'r Lle Celf.

Peidiwch felly â dychmygu'r Eisteddfod fel pafiliwn mawr wedi ei godi yng nghanol cae, a miloedd yn gwneud dim ond cerdded o'i gwmpas. Mae yno gannoedd o stondinau a

digwyddiadau o bob math. Yn yr Eisteddfod Genedlaethol am wythnos bob mis Awst y mae curiad calon y Cymry.

Wales' Heartbeat for a Week

ASK ANY fervent Eisteddfodwyr over sixty which Eisteddfod represents the golden age of youth. You will probably receive the same answer from most of them: the Bala Eisteddfod of 1967.

It was at Bala that year that Maes B was set up, a camping ground for young people. Today there are stories of Maes B that have become myths. You will hear of live music until dawn, of love-ins, and of a loud-beaked cockerel that was plucked alive. You should not swallow these stories without adding a handful of salt, but they are based on fact.

It was at Bala in 1967 that Wales' very first Welsh-language rock band, Y Blew, performed. One of the first songs they recorded was called 'Maes B', a tribute to the park. In fact the band performed on the Eisteddfod Macs, this time ruffling the feathers of those enjoying the literature and poetry provided in the Babell Lên (the Literary Tent).

Twenty years later, again at Bala, Maes B was resurrected and is now a regular feature of the Eisteddfod's fringe venues. There is nightly entertainment that attracts a total of over 10,000 young people who flock there to enjoy some 40 bands or individual artistes.

With Maes B proving to be so popular, older people now felt that they were being ignored and wanted their own kind of nightly entertainment. This led to Maes C. It is now a feature that presents music and poetry in a bar atmosphere. This offers an alternative to the more formal attractions, plays and concerts organised nightly during Eisteddfod week.

And to continue with the alphabet, Maes D has now been added. This is a learners' pavilion where the highlight of the week is the presentation to the individual chosen as Learner of the Year. This competition is open to all Welsh learners.

The Maes D pavilion is alive with activities including stage competitions in recitation and singing, telling stories and jokes, together with poetry and literature competitions. There is even a blog competition.

The fringe activities have grown to such an extent that they are now just as important as the Eisteddfod itself. The Eisteddfod Pavilion is not the only venue by any means. The Babell Lên has for a long time been a favourite. To some, this is the heart of the eisteddfod, with its presentations and lectures, literary competitions, adjudications and team poetry tournaments. The Theatre pavilion's rôle is obvious from its name. So too are the Societies Pavilion, the Science and Technology Pavilion, the Dance Hall and the Art Pavilion.

Therefore you should never envisage the Eisteddfod as just a large tent plonked in the middle of a field with thousands walking around it. There are hundreds of stalls and events of every kind. For a week every August the National Eisteddfod is the beating heart of Welsh Wales.

Cymeriadau poblogaidd o raglenni Cymraeg S4C yn mynd ati i ddiddanu'r torfeydd.
Favourite characters from S4C television's Welsh-language children's programmes turn out to entertain the crowds.

Mae'r Brifwyl yn ddigwyddiad teuluol-gyfeillgar gyda myrdd o ddigwyddiadau a diddanwch i'r plant.
The Eisteddfod is a family-friendly event with plenty of organised activities and entertainment for the children.

Bydd y gynulleidfa wedi ymgolli wrth wrando'n astud ar un o'r beirdd sy'n cystadlu yn y Babell Lên yn darllen gwaith a gyfansoddwyd ganddo ef a'i dîm mewn ymateb i dasg a osodwyd gan y beirniaid.
The audience listens with rapt attention as one of the poets competing in the Literature Pavilion reads out a work that he and his team have just composed in response to a task set by the judges.

Ystyrir geiriau'n werthfawr iawn yma – mae'r categorïau cystadlu'n amrywio o'r englyn a mesurau caeth eraill i limrigau, sy'n dueddol o godi'r to.
Words are highly valued here – competition categories range from the englyn and other forms of strict-metre poetry to limericks that bring the house down.

Mae'r Pafiliwn Celf yn grochan o weithgaredd. Mae'r otomata a'r paentiadau a arddangosir gan Charles Byrd yn crisialu un o'r ysgogiadau artistig mwyaf anrhydeddus, sef gwneud i'r edrychwr wenu!
The Art Pavilion is a cornucopia of creativity. The automata and paintings exhibited by Cardiff artist Charles Byrd encapsulate one of the most honourable of artistic impulses, namely to make the viewer smile!

Mae yna lawer o bethau da i'w gweld yn y Pafiliwn Celf – paentiadau, cerflunwaith, celf tecstilau, ffotograffiaeth, gosodiadau fideo a syniadaethol – a chynhelir gwersi a gweithdai yn rheolaidd i blant.
There are good things to see in the Art Pavilion – paintings, sculpture, textile art, photography, video and conceptual installations – and there are regular classes and workshops for children.

Dawnswyr gwerin yn chwyrlio'n chwim mewn reiat o liw; mae gan Gymru stôr o ddawnsfeydd traddodiadol, rhai yn perthyn yn arbennig i rannau penodol o Gymru.
Folk dancers twirl at high speed in a riot of colour; Wales has a good repertoire of traditional dances, some specific to particular regions of the country.

Mae'r cystadlaethau'n gofyn am ddawnsfeydd gwerin egniol, yn cynnwys clocsio, a symudiadau mwy gosgeiddig y byddigions – ynghyd â dawnsio modern a disgo.
Energetic folk dances, including the traditional clog dance, and the more sedate manoeuvres of the gentry – along with modern dance and disco – are featured in the competitions.

Yn y Pafiliwn Gwyddoniaeth a Thechnoleg mae'r plant hyn – o ysgolion ardal Y Bala – yn dathlu eu camp yn adeiladu'r model mwyaf erioed o folecwl DNA, gan ennill eu lle yn y *Guinness Book of Records*.
At the Science and Technology Pavilion, these children – from schools around Bala – are celebrating having constructed the largest-ever model of a DNA molecule, thereby gaining entry into the *Guinness Book of Records*.

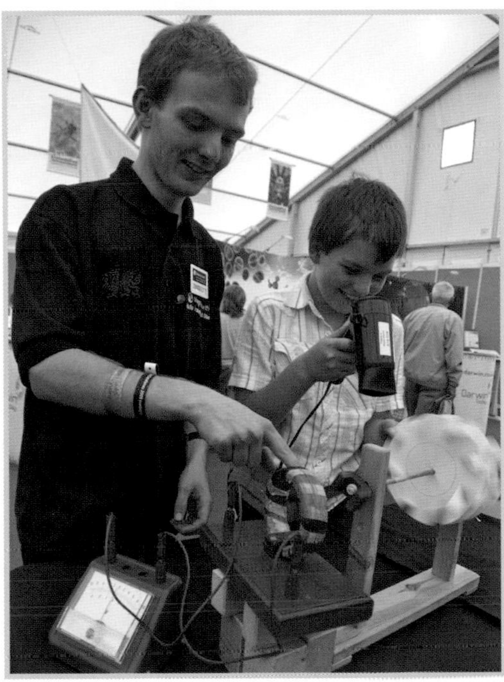

Mae'r Eisteddfod yn cydnabod pwysigrwydd hybu diddordeb mewn gwyddoniaeth a thechnoleg, yn ogystal â'r celfyddydau, drwy lwyfannu rhaglen o arbrofion cyffrous ac arddangosiadau.
The Eisteddfod recognises the importance of encouraging interest in science and technology, as well as the arts, by putting on a programme of exciting experiments and demonstrations.

Bydd Theatr y Maes yn darparu adloniant i bob oed – cymeriadau yw'r rhain o gyfres llyfrau a rhaglenni teledu plant Rala Rwdins.
The Theatre on the Maes provides entertainment for all ages – these are characters from the Rala Rwdins series of children's books and television programmes.

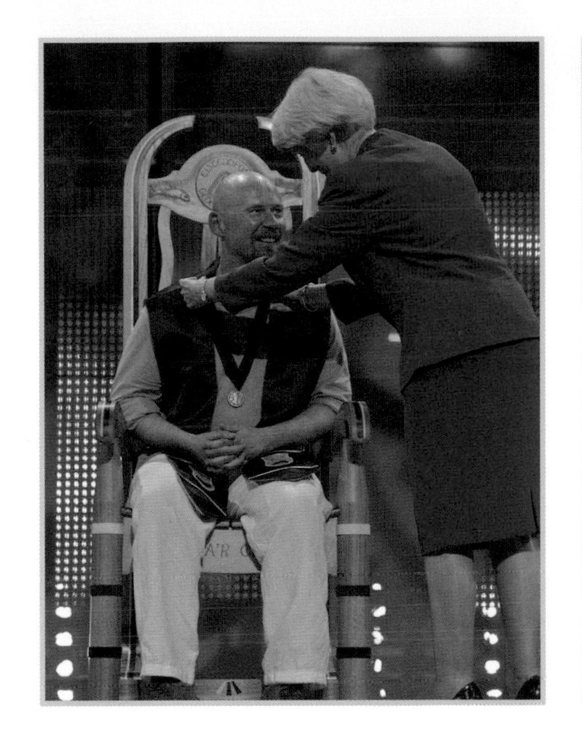

Caiff drama ei lle yn y Pafiliwn hefyd; ceir cystadlu brwd am y Fedal Ddrama ac Ysgoloriaeth Richard Burton, yn ogystal â chystadlaethau cyflwyniadau dramatig a sgetsus.
Drama has its place in the Pavilion too; there is keen competition for the Drama Medal and the Richard Burton scholarship, and there are competitions for dramatic presentations and sketches.

Mae Dafydd Iwan yn un o nifer o berfformwyr fydd yn ymddangos yn y cyngherddau nosol.
Dafydd Iwan is one of the many popular performers who appear in the evening concerts.

Bydd grwpiau a chyfansoddwyr caneuon fel Gwyneth Glyn, Meinir Gwilym, Ar Log, Plethyn a John ac Alun yn dwyn traddodiad y canu gwerin Cymraeg i mewn i'r unfed ganrif ar hugain.
Groups and songwriters such as Gwyneth Glyn, Meinir Gwilym, Ar Log, Plethyn and John ac Alun have brought the traditions of Welsh folk music into the twenty-first century.

Diwedd y Gân yw'r Geiniog

Parhad diwylliant Cymru yw'r nod; mae'r delyn, yn cynnwys y delyn deires draddodiadol, yn elfen boblogaidd.
The point is to ensure the continuation of Welsh culture; the harp, including the traditional triple harp, is a popular element.

BU NEWIDIADAU ariannol y Brifwyl mor syfrdanol â'r newidiadau mwy technegol. Yn nyddiau Emyr Jenkins yng nghanol yr wythdegau roedd y trosiant yn ddwy filiwn. Heddiw mae'r gost o gynnal yr wythnos Eisteddfodol ei hun tua £3.2 miliwn. Ar ben hyn mae'r weinyddiaeth ganolog yn costio tua £600,000, sy'n gwneud £3.8 miliwn.

Tuag at hyn daw £480,000 oddi wrth Fwrdd yr Iaith Gymraeg a thua £360,000 oddi wrth holl awdurdodau lleol Cymru drwy'r Gymdeithas Awdurdodau Lleol. O roi'r ddau ffigwr at ei gilydd, dyna £840,000 yn dod o'r pwrs cyhoeddus. O gymharu hyn â'r £3.8 miliwn sydd ei angen, mae'n llai na 25 y cant. Mae hynny'n golygu bod angen i'r Eisteddfod godi 75 y cant o'r arian hwnnw bob un flwyddyn.

'Mae yna lawer o bobl yng Nghymru sy'n honni ein bod ni'n cael arian mawr iawn,' medd Elfed Roberts, 'a'n bod ni'n mynd ar ofyn y Llywodraeth yn aml am fwy o arian. Y gwir ydi ein bod ni'n cael llai na chwarter yr arian sydd ei angen ac yn gorfod codi'r tri chwarter arall ein hunain, sy'n golygu andros o lot o waith. Felly, yr unig swm yr ydyn ni'n sicr o'i gael yw'r arian a ddaw oddi wrth Fwrdd yr Iaith Gymraeg a'r Gymdeithas Awdurdodau Lleol. Mae'r gweddill yn ddibynnol ar bethau eraill.'

Bydd pob ardal sy'n gwahodd y Brifwyl yn cael nod o £300,000 i'w godi. Dydi'r Eisteddfod yn ganolog ddim yn gwybod a fydd y dalgylch yn llwyddo i wneud hynny ai peidio tan oddeutu mis Mai cyn yr ŵyl. Ar gyfer y Bala 2009, llwyddwyd i godi dros £420,000 o nawdd masnachol. Yn y Bala hefyd fe wnaeth incwm y tocynnau a werthwyd, am y tro cyntaf erioed, fynd dros £700,000. Y drafferth yw na ellir gwarantu gwerthiant tebyg bob blwyddyn gan fod y cyfan yn dibynnu ar yr ardal, ar y tywydd ac ar bob math o ffactorau eraill. Ac mae'r ffactorau hynny oll y tu allan i reolaeth y trefnwyr.

Cydnebydd Elfed fod y Bala'n ardal eithriadol a delfrydol. I dderbyn y fath swm ar y giatiau, rhaid oedd sicrhau fod popeth yn cael ei redeg yn iawn, sicrhau bod digon o adloniant ar y Maes, sicrhau bod y cyngherddau'n apelgar. A rhaid gwneud hyn flwyddyn ar ôl blwyddyn.

'Gwlad fach ydyn ni,' medd Elfed. 'Does ganddon ni ddim cynulleidfa fawr. Ac er bod ganddon ni nifer o artistiaid sy'n llwyddiannus, dydi pawb ohonyn nhw ddim yn medru canu'n Gymraeg a fedrwn ni ddim cael yr un rhai i ddod yn ôl flwyddyn ar ôl blwyddyn. Wrth gwrs, mae yna ddarlledu helaeth bob blwyddyn, a'r darlledwyr yn talu ffi i ni am hynny yn ogystal â ffi ychwanegol am ddarlledu cyngerdd. Ond cyn darlledu, rhaid i'r arlwy fod yn apelgar.'

O flwyddyn i flwyddyn, mae'r cyfan yn y fantol. Caiff ambell ardal hi'n hawdd i gyrraedd targed y Gronfa Leol o £300,000. Caiff eraill, am wahanol resymau, hi'n anodd. Mae natur pob ardal yn wahanol ac mae yna rai'n dadlau – yn dilyn llwyddiant y Bala yn 2009 – y dylid ei chynnal yno'n barhaol. Ond cred Elfed fod rôl yr Eisteddfod – wrth gludo iaith a diwylliant Cymru o le i le – yn gorbwyso hynny.

Money Well Spent

THE EISTEDDFOD'S financial changes have been as substantial as its technical changes. After Emyr Jenkins took over the reins in the eighties, the turnover was two million. Today, the cost of staging the festival during eisteddfod week alone is £3.2 million. In addition some £600,000 is needed for the central administration, making a total of £3.8 million.

Towards covering this cost, some £480,000 comes from the Welsh Language Board and around £360,000 from the Association of Local Authorities. This means that some £840,000 comes from the public purse. Compared with the £3.8 million needed, it is less than 25 per cent. This means that the Eisteddfod needs to raise 75 per cent of the money needed every year.

According to Elfed Roberts, the Chief Executive, 'Many people in Wales believe that we are handed a huge sum of money and that we are forever begging for more. But the fact is that we receive just less than a quarter of the funds needed, and we have to raise the remaining three-quarters ourselves, which means a huge amount of work. So, the only money we are guaranteed is the contribution from the Welsh Language Board and the Association of Local Authorities. The rest depends on other things.'

Every district that successfully invites the Eisteddfod is expected to raise a minimum of £300,000. The Eisteddfod centrally won't know until around May, less than three months before the festival is staged, whether or not the target will be reached. The 2009 Bala Eisteddfod managed to raise over £420,000 in commercial sponsorship. At Bala, as well, the income from ticket sales, for the first time ever, exceeded £700,000. Unfortunately, such sales cannot be guaranteed every year as they depend on the nature of the area, the weather and all sorts of external factors that are beyond the control of the organisers.

Elfed admits that Bala is an exceptional and ideal venue. In order for these record gate receipts to be achieved, everything had to be minutely organised, adequate entertainment was essential on the Eisteddfod Maes and the concerts had to be appealing. Ideally, this needs to be repeated year after year.

'We are a small country,' said Elfed. 'We cannot expect a huge audience. And though we do have very successful artistes, many of them cannot perform in Welsh and we cannot invite the same performers year after year. There are, of course, many hours of radio broadcasting and televising annually, with the BBC and S4C paying for that service, as well as paying extra for broadcasting concerts. But before we can expect coverage, the 'feast' must be appealing.'

From year to year, everything hangs by a thread. Some areas find it far easier than others to hit the £300,000 local fund target. Every area differs, and some argue – following Bala's success – that the festival should be held there annually. But Elfed believes that the very rôle of the Eisteddfod – as it conveys the language and culture of Wales from place to place – outweighs everything.

Mae diwylliant Cymru ymhell o fod wedi ffosileiddio; mae cerddoriaeth ac offerynnau cyfoes yn amlwg iawn yn yr Eisteddfod.
Welsh culture is far from fossilised – modern music and instruments are very prominent at the Eisteddfod.

Cynhelir defod a noson gymdeithasol ar gyfer y dysgwyr, mewn gwesty neu ganolfan gelfyddydol nid nepell o'r Maes fel arfer lle cyflwynir gwobr i Ddysgwr Cymraeg y Flwyddyn (dyma Madison Tazu yn Eisteddfod Caerdydd). Caiff yr enillydd ymddangos hefyd ar lwyfan y Pafiliwn.
Welsh learners have a ceremony and social evening of their own, usually at a hotel or arts centre near the Maes, and the Welsh Learner of the Year (this is Madison Tazu at the Cardiff Eisteddfod) is also presented with the trophy in the Pavilion.

Mae dysgu Cymraeg fel oedolyn – ac yn arbennig ennill gwobr Dysgwr Cymraeg y Flwyddyn – yn gamp anferth, yn arbennig i'r rheiny o'r tu allan i Gymru; yr enillydd yn 2009 oedd Meggan Lloyd Prys o Ohio, yr UD.
Learning Welsh as an adult – and especially becoming Welsh Learner of the Year – is a tremendous achievement, especially for those from outside Wales; the 2009 winner Meggan Lloyd Prys is from Ohio, USA.

Caiff y Gymraeg ei hamlygu mewn cerddoriaeth roc, yn ogystal ag yn y ffurfiau mwy traddodiadol. Dyma'r band chwedlonol Celt o ardal Bethesda yn rhoi o'u gorau.
The Welsh language finds expression in rock music, as well as in more traditional forms – this is the legendary band Celt, from the Bethesda area, giving it their all.

Mike Peters (o'r Alarm) Heather Jones, Cerys Mathews, Dewi 'Pws' Morris a Bryn Fôn yn ei bloeddio hi gyda'r goreuon.
Mike Peters (of The Alarm), Heather Jones, Cerys Matthews, Dewi 'Pws' Morris and Bryn Fôn can all belt it out with the best of them.

Codi Lleisiau Dros yr Ŵyl

UN O DDIGWYDDIADAU mwyaf poblogaidd yr Eisteddfod yn ddiamau yw'r Gymanfa Ganu. Gynt, dyma fyddai'n cloi'r wythnos. Bellach, mae'r Gymanfa yn rhan o benwythnos cychwynnol y Brifwyl.

Cnewyllyn y Gymanfa yw Côr yr Eisteddfod. Un sydd wedi wynebu'r dasg o arwain y Côr bedair gwaith yw Alun Guy. 'Mae angen dros ddau gant o leisiau fel arfer, a'r Eisteddfod yn ganolog sy'n mynd ati i ddenu'r cantorion,' meddai. 'Cantorion o gorau cyfagos fyddan nhw fel arfer. Fe ddenwyd y cantorion ar gyfer Blaenau Gwent a Blaenau'r Cymoedd o ardal eang iawn; o'r Cymoedd, Merthyr Tudful, Aberdâr a Chaerdydd ac yna draw at y ffin i gyfeiriad y Fenni a Chrughywel. Mae nifer fawr ohonyn nhw, yn arbennig y rhai o ardaloedd y ffin, yn ddi-Gymraeg. Ond maen nhw i gyd yn falch o'u Cymreictod a byddant yn uno yn y Gymanfa eleni o dan arweiniad Alwyn Humphreys.'

Fel arfer caiff y côr ei ffurfio rhwng blwyddyn a deunaw mis cyn yr Eisteddfod. Ac yn anffodus, pan ddaw'r ŵyl i ben, dyna ddiwedd ar y côr hefyd. Ond fe fu eithriadau. Yng Nghaerdydd yn 1978 fe barhaodd y côr fel Côr Ffilharmonig Caerdydd. Digwyddodd rhywbeth tebyg ym Mhenybont-ar-Ogwr, yn Ninbych ac yng Nghasnewydd. Ond hyd yn oed pan na pharheir â'r côr wedi'r Eisteddfod, cred Alun fod y fenter yn werth chweil.

'Er mai oes fer sydd i'r côr fel arfer, mae e'n gadael rhyw waddol pwysig ym mro pob Eisteddfod,' meddai. 'Mae e'n tynnu pobl at ei gilydd. Fe wnaethon ni gwrdd bob nos Lun yng Nghapel Libanus yng Nglyn Ebwy. Mae'r profiad wedi bod yn rhyw fath ar esblygiad sy'n cyfoethogi'r corau y mae'r aelodau yn perthyn iddyn nhw. Mae'n edrych yn debygol y bydd Côr Eisteddfod 2010 yn dymuno parhau y tu hwnt i gyfnod y Brifwyl.'

O'r ddau gant neu fwy o leisiau mae dros chwe deg y cant o'r aelodau'n fenywod. A'r prinder mwyaf o ran lleisiau yw'r tenoriaid. Ond os yw'r Eisteddfod yn ymweld ag ardal lle mae yna gorau meibion, dydi'r broblem ddim yn bodoli.

Yn ogystal â bod yn gnewyllyn i'r Gymanfa, bydd Côr yr Eisteddfod hefyd yn cynnal cyngerdd ar un o nosweithiau'r wythnos, ar y nos Fawrth yn achos Blaenau Gwent a Blaenau'r Cymoedd. Fel arfer hefyd bydd y côr yn canu yng Ngŵyl y Cyhoeddi flwyddyn a mis cyn y Brifwyl. Methwyd â gwneud hynny yng Nglyn Ebwy ond trefnwyd cyngerdd ar gyfer y mis Mawrth cyn yr ŵyl.

Ar gyfer y Gymanfa dewisir tua deunaw o emynau a dwy anthem gan weithgor sy'n cynnwys Trefnydd yr Eisteddfod a dau arbenigwr arall. Bydd hyn yn digwydd cyn dewis arweinydd y Gymanfa fel rheol.. Dewiswyd ar gyfer Blaenau Gwent 'Na Foed it Fraw' o Eleias Mendelssohn a diweddglo'r Meseia, 'Teilwng yw yr Oen'.

Ond beth am hoff emyn-dôn Alun? Does ganddo ddim amheuaeth. '*Cwm Rhondda* ar eiriau godidog Ann Griffiths yw fy ffefryn i. Fe wnes i ddod i adnabod merch John Hughes, y cyfansoddwr a chael gweld copi gwreiddiol ei thad. Synnais o weld i'r dôn gael ei chofnodi ganddo mewn sol-ffa. Does yna un diwrnod yn mynd heibio heb iddi gael ei chwarae neu ei chanu rywle yn y byd. Rwy hyd yn oed wedi ei chlywed hi'n cael ei chanu mewn Sbaeneg ym Mhatagonia.'

Raising the Roof at the Eisteddfod

ONE OF THE MOST popular events at the Eisteddfod is undoubtedly the Gymanfa Ganu (hymn-singing festival). Until recently it was the closing event but nowadays it is part of the opening weekend of the festival.

Central to the Gymanfa is the Eisteddfod Choir. One who is facing his fourth time as Choir conductor is Alun Guy. 'We usually need over two hundred voices, and the Eisteddfod itself advertises for singers. The great majority are members of neighbouring choirs. For the 2010 Blaenau Gwent and the Heads of the Valleys Eisteddfod we have attracted singers from the Valleys, Merthyr, Aberdare and Cardiff, as well as singers from the eastern border area, from Abergavenny and Crickhowell. Many of them, especially those from the easterly regions, are non-Welsh-speaking. But they are all proud to be Welsh and they will join in the Gymanfa this year under the baton of Alwyn Humphreys.'

Usually the choir is formed twelve or eighteen months before the Eisteddfod. Unfortunately, when the festival ends, so does the choir. But there have been exceptions. After the Cardiff Eisteddfod of 1978, the choir continued as the Cardiff Philharmonic Choir. Something similar also happened at Bridgend, Denbigh and Newport. But even if the choir ends with the Eisteddfod, Alun believes that it has all been worthwhile.

'Although the Eisteddfod Choir's existence is usually short-lived, it leaves behind a rich inheritance,' said Alun. 'It draws people together. We have been meeting every Monday night at Libanus Chapel in Ebbw Vale. The experience is a kind of evolution that enriches those choirs that the singers return to. It seems probable that the 2010 Eisteddfod Choir will decide to become permanent.'

Of the two hundred singers over sixty percent are women. Of the voices, tenors seem to be scarce. But when the Eisteddfod visits an area rich in male voice choirs, that problem does not exist.

As well as being central to the Gymanfa Ganu, the Eisteddfod Choir also presents a concert on a weeknight. At the Blaenau Gwent Eisteddfod it will be on the Tuesday night. Normally the choir also performs at the Proclamation Ceremony thirteen months prior to the Eisteddfod. This was not possible at Blaenau Gwent but a performance was organised for the March before the Eisteddfod.

For the Gymanfa some eighteen hymns and two anthems are chosen by a panel, which includes the Organiser and two other specialists. This usually happens before the conductor is chosen. In Blaenau Gwent's case those chosen were 'Be Not Afraid' from Mendelssohn's Elijah and 'Worthy is the Lamb', the conclusion of Messiah.

But what of Alun's favourite hymn tune? He has no doubts whatever. '*Cwm Rhondda* sung with Ann Griffiths' great words. I got to know the daughter of its composer, John Hughes. She even let me hold her father's original copy. I was surprised to see it written in sol-fah. Not a day passes without *Cwm Rhondda* being sung or played somewhere in the world. I have even heard it sung in Spanish in Patagonia.'

Bydd y Pafiliwn, sy'n dal 3,500, bob amser yn llawn ar gyfer y Gymanfa Ganu ar nos Sul.
The Pavilion, which seats 3,500, is always full for the Gymanfa Ganu on the Sunday evening.

Mae gweld a chlywed cymaint o bobl yn canu emynau mewn harmoni caboledig pedwar-llais – gyda'r arweinydd a Chôr yr Eisteddfod yn angori'r noson o'r llwyfan – yn brofiad sy'n ysbrydoli.
The sight and sound of so many people singing hymns, in well-practised four-part harmony – with the conductor and the Eisteddfod choir anchoring the proceedings from the stage – is a moving experience.

Côr yr Eisteddfod 2010 yn mynd drwy eu pethe o flaen yr arweinydd, Alun Guy yn ystod un o'r nifer o ymarferiadau yng Nghapel Libanus, Glyn Ebwy.
The Eisteddfod choir for 2010 is put through its paces by conductor Alun Guy during one of its many practice sessions at Libanus chapel, Ebbw Vale.

Alun ac aelodau'r côr yn edrych ymlaen at eu hawr fawr, yn eu lifrai swyddogol, ar lwyfan y Brifwyl.
Alun and the choir members look forward to their moment of glory, suitably dressed for the occasion, on the Eisteddfod stage.

Archdderwydd a Phrifardd y Ffiniau

MAE FFINIAU wedi chwarae rhan flaenllaw ym mywyd Archdderwydd presennol Cymru. T. James Jones yw'r unig Brifardd mewn hanes i ennill Coron a Chadair ar yr un testun, sef 'Y Ffin'. Enillodd Goron Casnewydd yn ogystal â Chadair Sir y Fflint ar yr un testun.

A nawr mae ffiniau'n llywio'i fywyd unwaith eto. O'r dair Eisteddfod Genedlaethol fel Archdderwydd, eisteddfodau'r ffin fydd dwy, sef Eisteddfod Blaenau Gwent a Blaenau'r Cymoedd 2010 ac Eisteddfod Wrecsam 2011. Ac yn arwyddocaol iawn, cynhelir ei drydedd Brifwyl, sef Eisteddfod Bro Morgannwg 2012 ger y Bontfaen, sef cartref Iolo Morganwg, dyfeisydd yr Orsedd.

'Mae'n rhyfedd fel mae'r ffin wedi bod yn gymaint rhan ohona'i ar hyd y blynyddoedd,' meddai. 'Ond dyna fe, fe fyddai rhai'n mynnu mai un o fois y ffin ydw i wedi bod erioed. Dydi hi ddim yn hawdd fy ngosod mewn unrhyw gategori. Mae rhyw elfen rebelaidd wedi bod ynof o'r dechrau.'

Yn wir, gellid ei ddisgrifio fel un o feibion afradlon yr Eisteddfod. Yn Eisteddfod Caernarfon 1979 fe wnaeth ef a'i gyfaill, Jon Dresel, greu hanes drwy ennill y Goron ac yna cael eu diarddel. Un o'r ddau destun oedd 'Siom', a chanodd ef a Jon am siom canlyniad y Refferendwm. Ond er mai eu dilyniant hwy oedd y gorau fe'u gwrthodwyd am mai gwaith un bardd oedd yn dderbyniol.

'Y gwir amdani yw na wnaethon ni dorri llythyren y ddeddf,' meddai. 'Cyfeiriwyd at "ymgeiswyr" yn hytrach nag at "ymgeisydd". Felly, yn llythrennol roedd ganddon ni hawl i gystadlu ar y cyd. Ond gorfodwyd i'r Eisteddfod ddiwygio'r geiriad o hynny ymlaen.'

Roedd dewis enw Archdderwyddol y peth hawsaf yn y byd iddo. I'w gyfeillion niferus, nid fel T. James Jones y cyfeirir ato ond yn hytrach Jim Parc Nest. Ar fferm deuluol Parc Nest yng Nghastellnewydd Emlyn y ganwyd ef a'i frodyr John Gwilym ac Aled. Ac mae'r brodyr rhyngddynt wedi ennill tair Coron a dwy Gadair. Enillodd John Gadair Maldwyn 1981; enillodd Jim Goronau Abergwaun 1986 a Chasnewydd 1988 a Chadair Sir y Fflint 2007, ac enillodd Aled Goron Abergele 1995. Ar ben hynny fe enillodd Tudur Dylan, sef mab John, Gadair Abergele pan gadeiriwyd ef gan ei dad, a oedd yn Archdderwydd ar y pryd. Cyfeirir at Eisteddfod Bro Colwyn, Abergele o hyd fel Eisteddfod Parc Nest. Aeth Tudur Dylan ymlaen i ennill Cadair Eryri 2005 a Choron y Fflint 2007, lle'r enillodd ei ewythr Jim y Gadair.

Bu Jim yn dilyn Eisteddfodau Cenedlaethol ers Eisteddfod Aberpennar 1946. Bu'n adroddwr ar lwyfannau eisteddfodau ers yn blentyn. 'Rwy'n cofio ymarfer y darn "Dysgu Tedi" ar gyfer cystadlu o dan chwech oed yn Eisteddfod Bryngwyn,' meddai. 'Byddai John,

fy mrawd, yn gwrando arnai'n ymarfer. Dyma fynd i'r eisteddfod, a phwy wnaeth fy nilyn i'r llwyfan ond John. Trydydd ddês i. Enillwyd y gystadleuaeth gan Matilda o Horeb. Fe ddaeth John yn ail! Mae John wedi bod gam o 'mlaen i erioed. Fe'i gwnaed e'n Archdderwydd o 'mlaen i hefyd!'

Poet and Archdruid of the Borderlands

BORDERS HAVE PLAYED an important part in the life of the present Archdruid; T. James Jones is the only Chief Bard in history to win both the Crown and the Chair writing on the same topic, 'The Border'. He won the Crown in Newport and the Chair in Flintshire.

And now, the border is to play another important part in his life. Of the three Eisteddfodau he is to preside over as Archdruid, two will be border festivals, at Blaenau Gwent and the Heads of the Valleys in 2010 and at Wrexham in 2011. And significantly, his third festival in the Vale of Glamorgan in 2012 will be held near Cowbridge, home of the man who devised it all, Iolo Morganwg.

'It is remarkable how boundaries have played such a part in my life', said T James Jones. 'But I suppose that many would describe me as a man who has always lived on the edges. It is not easy to place me in any category. There has always been an element of the rebel in my character.'

Indeed, he could be described as a prodigal son of the Eisteddfod. At the Caernarfon Eisteddfod of 1979 he and his friend, Jon Dressel, created history by winning the Crown only to be disqualified. One of the subjects was 'Disappointment' and he and Jon composed a sequence of poems on the disappointment of the Devolution result. But although they wrote the winning entry, they were adjudged to have broken the rules as the competition demanded that it should have been the work of only one poet.

'In truth we did not exactly break any rule,' he said. 'The rule we were supposed to have broken referred to "competitors" rather than to "a competitor". Therefore, literally, we should have been allowed to compete jointly. But we forced the Eisteddfod to amend the rules for the future.'

Choosing an Archdruidical name came easily to him. By his many friends, he is referred to as Jim Parc Nest rather than as T. James Jones. He and his two younger brothers John Gwilym and Aled were born at Parc Nest, the family farm at Newcastle Emlyn. Between them the brothers have won three Bardic Crowns and two Chairs. John won the Maldwyn Chair in 1981; Jim won the Fishguard 1986 and Newport 1988 Crowns and the 2007 Flint Eisteddfod Chair, while Aled won the Crown at the 1995 Abergele Eisteddfod. Also at Abergele John's son, Tudur Dylan, won the Chair and was chaired by his father, who was the Archdruid at the time. The Abergele Eisteddfod is still referred to as the Parc Nest Eisteddfod. Tudur Dylan went on to win the 2005 Eryri Chair and the Crown at the 2007 Flint Eisteddfod, where his Uncle Jim won the Chair.

Jim has followed the National Eisteddfod since 1946 at Mountain Ash. He first competed when he was only a small child. 'I remember practising for the under-six recitation piece, "Teaching Teddy" at the Bryngwyn Eisteddfod when I was five,' he said. 'My brother John would listen to me practising. When I went to the eisteddfod, John followed me onto the stage. I came third. The winner was Matilda from Horeb. John came second! He has always been one step ahead of me. He beat me to being made Archdruid as well!'

Fel yn achos pob Archdderwydd sydd newydd ei ethol, cychwynnodd gyrfa T. James Jones gyda ffitio'i wisg a'i regalia.
As is the case for every newly-elected Archdruid, T. James Jones begins his career with a fitting of his robes and regalia.

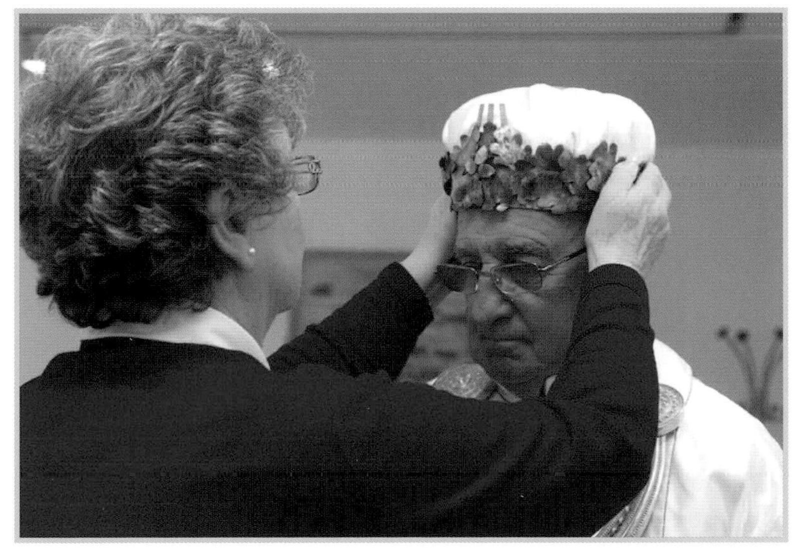

Mae Meistres y Gwisgoedd, Jean Huw Jones (Siân Aman) yn gwybod am bob eitem yn fanwl – hi a'i phriod wnaeth noddi'r gwisgoedd presennol, a wnaed a'u brodio gan aelodau o Gymdeithas Brodwaith Cymru.
The Mistress of the Robes, Jean Huw Jones (bardic name Siân Aman) knows every item in detail – she and her husband sponsored the current robes, which were made and embroidered by members of the Wales Embroidery Society.

Cystadlu: Canolog i'r Brifwyl

GYDA'R HOLL ddigwyddiadau ymylol a ddaeth yn rhan o'r Brifwyl dros y blynyddoedd diwethaf, mae'n hawdd anghofio mai craidd yr ŵyl o'r dechrau fu cystadlu. Dyna beth oedd pwrpas Eisteddfod yr Arglwydd Rhys yn Aberteifi yn 1176. A dyna ei phwrpas canolog o hyd.

Dyma beth ddywed Thomas Parry yn ei draethawd ar hanes yr Eisteddfod: 'Y mae'r Eisteddfod yn sefydliad arbennig i ni, genedl y Cymry; nid oes gan yr un genedl arall ddim byd yn union yr un fath, sef cyfarfod cyhoeddus lle ceir cystadlu mewn canu, adrodd, ysgrifennu barddoniaeth a rhyddiaith, ac yn wir mewn crefftau a gwaith llaw o bob math, a rhoi gwobrwyon, yn arian neu'n dystysgrifau i'r goreuon.'

Pan gyhoeddir y Rhestr Testunau bob blwyddyn adeg cyhoeddi Prifwyl y flwyddyn wedyn, nid yw fawr syndod mai dyma'r gyfrol fydd yn gwerthu fwyaf drwy Gymru. Cawn awgrym o'r ysfa gystadlu nôl yn nyddiau Maelgwn Gwynedd, un o brif frenhinoedd Cymru a'r Hen Ogledd a fu farw yn 547. Galwodd feirdd a thelynorion at ei gilydd i ymryson â'i gilydd. Ffafriai Maelgwn y beirdd, felly er mwyn sicrhau buddugoliaeth symudodd y lleoliad o Ddeganwy i'r gaer ar Fynydd Conwy. Golygai hyn groesi'r afon, ac wrth iddynt wneud hynny difethwyd tôn tannau'r telynau a ffefrynnau Maelgwn – y beirdd – a enillodd y dydd!

Mae cystadlu, heb y fath ystryw, wedi parhau byth ers hynny. Fe gyfrannodd cystadlu eisteddfodol at osod a chynnal safonau. Yn oes y Frenhines Elisabeth y Cyntaf, cyhoeddwyd comisiwn brenhinol yn gorchymyn i ugain o wŷr bonheddig gogledd Cymru alw ger eu bron bawb a ddymunai gael eu hystyried yn feirdd a cherddorion, eu harholi'n ofalus, rhoi trwydded i'r rhai a fernid yn gymwys a gwahardd i'r rhai anfedrus gerdded y wlad. Dull oedd hwn o gael gwared o'r beirdd eilradd. Ie, cystadlu sy'n gosod safonau.

Mae'r chwilen gystadlu wedi parhau ers hynny. Cystadlu yw asgwrn cefn y Brifwyl o hyd. Ewch i'r rhagbrofion i brofi'r tensiynau. Mae'r awyrgylch gefn llwyfan, ac o gwmpas mynedfa'r cystadleuwyr, yn drydanol. Mae cystadleuydd a all ychwanegu 'enillydd cenedlaethol' at ei enw'n dal yn freintiedig yng Nghymru.

Ond mae yna wahaniaeth rhwng cystadlu a chystadlu mewn gogoniant. Bwriad y Brifwyl yn y bôn yw sefydlu rhywbeth amrywiaethol a lliwgar sy'n wahanol i'r duedd i greu un diwylliant unlliw byd-eang. Mae Maes yr Eisteddfod yn faes y frwydr a welir ym mhob cornel o'r byd lle bo diwylliant lleol yn brywdro i ffynnu yn nannedd y cyfryngau torfol byd-eang.

Tra bydd Eisteddfod fe fydd cystadlu. Bydd hynny'n sicrhau parhad y diwylliant Cymraeg fel rhywbeth heriol a hynod o gyffrous.

Competition: Central to the Eisteddfod

BECAUSE OF ALL the fringe events that have become a part of the Eisteddfod over recent years, it is easy to forget that at the core of the festival lies the competitive element. That was the reason for Lord Rhys staging the very first eisteddfod at Cardigan in 1176. It remains at its very heart.

This is what Thomas Parry wrote in his treatise on the history of the Eisteddfod: 'The Eisteddfod is a special institution for us, as a nation – as Welsh people. No other nation has quite the same thing: a public meeting at which contests are held in singing, reciting, writing poetry and prose, indeed, in arts and crafts of every kind – and the winners are given money prizes or certificates.'

When the list of subjects is published in book form at the Proclamation Ceremony a year and one month ahead of an Eisteddfod, it is no surprise that it soon becomes a best-seller throughout Wales. For a suggestion of the importance of competition in the arts we can go back to Maelgwn Gwynedd's day. One of the High Kings of Wales and the Old North, he died in 547. Maelgwn called bards and harpists together to compete against each other. Maelgwn favoured the bards, so he changed the venue of the competition from Deganwy to the fort on Conwy Mountain. This meant fording a river, and as the competitors did so, the tone of the harpists' strings was destroyed – and Maelgwn's favourites – the bards – won the day!

Competing, but without such cunning, has continued ever since. Eisteddfod competitions contributed to setting and upholding standards. During Queen Elizabeth's reign a royal command was issued to twenty gentlemen of north Wales to call before them all men who wished to be considered as true poets or musicians, to examine these men carefully, to issue licenses to those of them judged to be deserving of them, and to prohibit the unskilful from wandering around the country henceforth. This was a way of getting rid of second-rate poets. Thus, competition led to setting standards.

The competing bug has been active ever since. Competition is still the backbone of the Eisteddfod. Visit the preliminary competitions and feel the tension in the air. The atmosphere backstage, and around the competitors' entrance, is electric. Any competitor who can add 'national winner' to his or her name is still honoured in Wales.

But there is a difference between competing and competing in glory. The Eisteddfod, basically, seeks to create something that is both diverse and colourful, which contrasts with the present tendency to create one monochrome global culture. The Eisteddfod Maes is a field of battle that can be seen in every corner of the world where an individual culture is fighting for existence in the teeth of the world-wide mass media.

While there is an Eisteddfod there will be competition. This will ensure the survival of Welsh culture as something challenging and remarkably exciting.

MWY O WYBODAETH

Cofiwch ymweld â wefan yr Eisteddfod – **www.eisteddod.org.uk** – i ddysgu mwy am ei hanes, i gael manylion y cystadlaethau, i weld y rhaglenni dyddiol o ddigwyddiadau a chyngherddau, ac i brynu tocynnau.

MORE INFORMATION

Be sure to visit the Eisteddfod's website – **www.eisteddfod.org.uk** – to learn more about its history, for details of competitions, to see the daily programmes of events and concerts, and to buy tickets.